〜必要な「思考力」「判断力」「表現力」が身につく！〜

齋藤孝㊖“学ぶ”ための教科書

明治大学文学部教授

齋藤 孝

Saito Takashi-shiki "manabu" tame no kyokasho

辰巳出版

【まえがき】

『人はなぜ勉強するのか』

「おとうさん、なぜ僕は勉強しないといけないの？」
「因数分解って、社会人になってからも必要なの？」
「歴史はなぜ知らないといけないの？」
「年号を覚えると、何かの役に立つの？」など、そんな風に、子どもに尋ねられたことはありませんか。

このような子どもの素朴な疑問に親はどうやって答えたらいいのでしょうか。

たしかに、理科や数学は社会人になったときに不要に思える場合もあるだけに、そんな疑問を持つのは当然かも知れません。理系を志向する子どもなら、社会や国語がなぜ、必要なのかと思うこともあるはずです。

この普遍的な疑問に答えるために、まず人類がどのように発展してきたのかを振り返ってみる必要があります。

もちろん、現在社会の状況を良いと思うか、悪いと思うかについてはさまざまな意見、見方があるのは承知しています。そして、深刻な問題がいくつも横たわっているのは事実でしょう。しかし、私は「社会は比較的良好に推移してきたし、これからも発展していく」と子どもに教えたほうがいいと考えています。

もちろん、第一次、第二次世界大戦のような大きな戦争もありましたし、イタリアのムッソリーニやドイツのヒトラーなどによるファシズムもありました。しかし、今は総じて平等に権利が保障され、生きることができるような世の中になりました。人類は頑張って、社会をそこまで発展させてきたのです。

漢字の成り立ちを調べてみると、人類の悲しい歴史を垣間見ることができます。たとえば、「道」には「首」という漢字が入っています。「道」という漢字がつくられたころは、異民族の首を持って道を除霊しながら歩いたという説があります。また、「童」は一般的に子どもを表わしますが、「辛」と「重」という漢字から出来ており、重いものを持たされた奴隷に由来しています。奴隷は弱くて抵抗できない存在なので、今では弱い存在である子どもに使われているのです。「祭」も「示」は生贄《いけにえ》を捧げる祭壇を意味し、左が肉、右が人の手で、人が生贄の肉を手に持って捧げていることに由来しています。もっというと、「民」という漢字は奴隷の両目を突き刺したことから来ています。奴隷が逃げられないように、働かせたのです。

漢字の成り立ちには諸説ありますが、これらがいみじくも物語るように、かつて、人の生命は簡単に殺戮《さつりく》というカタチで奪われました。そうした悲しいことは20世紀まであったのです。しかし、今では生きる権利が尊重されるようになってきたわけです。私たちの社会は、紆余曲折はありましたが、ようやく安定した生活が送れるようになりました。人類はようやく、ここまで成長し、たどり着いたのです。

それを可能にしたのは、よりよい社会をつくろうという人類の思いが脈々と継承されてきたからに他なりません。

現代社会で人間が安心・安定して生きていけるのは、基本的人権など崇高な理念が盛り込まれた近代的な憲法がつくられたことに起因します。忘れてならないのは、その近代的な憲法には人類のそれまで積み上げてきた営みすべてがあることです。そこには、三権分立を説いたモンテスキューもいるし、『社会契約論』を書いたルソーもいるわけです。

さらに、私たちが豊かに暮らしていける背景には、発熱電球や電話、蓄音機などを発明改良したエジソンや、電磁誘導の法則を発見したファラデー、さらにポリオワクチンを開発したジョナス・ソークや、セルビアのニコラ・テラスが発見した交流電流、世界で初めてプログラムが可能な計算機（後にパソコンの基礎になった）を考案したイギリスの数学者チャールズ・バベッジなど多くの人による発明・発見など、これらの優れた業績が世に行き渡り成り立っているのです。X線を発見したレントゲンは特許を取らず、発見を人類のものとしました。

私たちの快適で幸福な今の生活は、理科や数学、社会、言語、芸術など、人類がこれまで学んだ総体で出来ています。

それだけに、自分たちがなぜ現在のような生活を送れるのかを、しっかり理解しなければなりません。現在、享受しているモノに対して、その価値が分からず今の生きている社会を当たり前に思ってしまっては、大切に守っていかなければいけない気持ちが失われてしまいます。だから、勉強や学びが必要なのです。

本書が「学び」の大切さを理解していただけるキッカケとなれば幸いです。

齋藤　孝

目次

第2章　なぜ人は学ぶのか

ブックデザイン／仲亀 徹（ビー・ツー・ベアーズ）
本文ＤＴＰ／若松隆（ＡｎｄＤ）
構成・編集協力／佐藤克己（喝望舎）
企画・編集担当／湯浅勝也

第１章

「算数」や「理科」はなぜ勉強するのか

1　学びは人を生かす

「学び」は風車《かざぐるま》

人はなぜ、学ばないといけないのか。それは端的にいうと一度しか与えられていない人生を豊かに生きるためです。いろいろなことを学ぶと新しい世界に出会い、歓びを感じることができます。

また、自分が苦難にぶつかったとき、「学び」は役立ちます。ソクラテス、孔子、ブッダなどを知っていれば、後ろから、そうした偉人たちの囁《ささや》きが聞こえてくるはずです。

そして、歴史を学ぶと、過去にこんなに苦労した人たちがいたということを知るだけでも、自分が生きる糧《かて》になります。

「学び」がないと、無味乾燥な毎日となり、何か空しさを感じてしまいます。

学んでいる姿というのは、言って見れば子どものころに遊んだ風車《かざぐるま》みたいなものです。

走れば風車は風を受け回りますが、走らないと風車は回りません。学ばない人は、走らない風車です。風車が止まっている姿は、本来の輝きを失い、生き生きしません。

人は60歳あるいは65歳で定年を迎え、そして70歳、古希《こき》を迎えます。子どもたちが大人になり、親の手から離れると、親には静かな時間が「ドン」と訪れます。そのときに学んでも仕方がない、意味がないと思う人もいるかもしれません。とすると、風車は回らない状態となります。生きている実感がないままに、最後の10年、20年を過ごしてしまう、ということになりますと、ふと空しさを感じるのです。

その空しさを感じるというのは、人生にとって私はかなり危険なことだと思います。若いときと、老齢になってから「空しい」と感じる場合とでは、違うからです。青年期のとき、自分はこれからどうなっていくのだろうという不安があります。そう考えたときに今の自分でいいのだろうか、苛立ちとともに虚無感が頭をもたげてきます。

しかし、中高年を過ぎて、老年期になってからの空しさは、まるで自分の人生すべてが無意味なような錯覚に捉われて、鬱々《うつうつ》たる寂しさを伴うわけです。

青年期の生命力溢れるゆえの空しさと、生命力が衰えてくる段階での空しさは質が違います。「死」の不安も老年期には襲ってきます。だから、こうした不安や空しさから抜け出し、自分が生きてきたプロセスを、ちゃんと肯定できるためにも、老年期に入っても学んでほしいと思います。そうするとこで、自分の人生に対して、いつまでも前向きになれます。70歳、80歳になっても自分は学ぶ、勉強することに積極的になることです。すると、それまでの自分の人生は良かったときっと思えるはずです。

勉強が好きな小学生

勉強という言葉のイメージは随分、年代によって違うと思います。というのは、小学校1年生にとっての勉強というのは楽しいものです。子どもは学校に行って、「こんなことを勉強したよ」とお母さんにいうわけです。たとえば「今日はカタカナを学んだよ」とか、あるいは、「足し算引き算を学んだよ」などと、一生懸命に話をするわけです。小学生は親との会話で「今日は、こういう問題が出たんだけど、難しかったよ」とか、または、「面白かった」という反応を示します。

小学生は、勉強が嫌いではありません。本をよく読みます。それは学ぶ意欲の表われです。小学生は年間にすると本を１００冊、２００冊読みます。小学生の読書量というのは意外と多いわけです。しかも、小学生は素直ですし、学校で、推薦図書を出しますと、積極的に読みます。ところが、中学生になるとそれが、変わってしまう。内容の濃い大人の本が読めるようになるはずなのですが、読書量が途端に少なくなってしまうのです。

授業に感動があるか？

小学生の時の勉強では、いろいろな驚きがあります。

たとえば、理科で光合成を習います。植物は二酸化炭素を吸って、根っこから吸い上げた水分と一緒になり、日光が当たると酸素を吐き出し、デンプン（炭水化物）ができると。このような光合成のプロセスを知ると、不思議だと思うわけです。

一方、中学生になると、DNA（デオキシリボ核酸、生命の遺伝情報をつかさどる核酸の一種）を学びます。DNAの発見というのは、人類史上の大発見なのですが、それを教わって、生徒の間で感動が起こるのかというと、必ずしもそうではありません。「あっ、そういうものか」と簡単に通り過ぎてしまう。

中高生になると小学生の時のような感動は希薄になっています。そこで教える側に、ひと工夫が必要となるわけです。工夫があることによって、初めて授業は盛り上がります。中学、高校の先生は、うまく学生たちの興味を引きつけるような授業をやらないと、全く話を聞いてくれません。

中高生は思春期になりますので異性関係とか、部活動とかに気を取られて、親とのコミュニケーションは少なくなってきます。自分の時間に重きを置くため、勉強を親とともにするのも、難しくなります。

学びの二極化が進む

勉強するという意欲を引き出すのはある意味、小学生のほうがやりやすいと思います。中高生はそれなりに、精神的に自立してくるので、親が一緒に「音読」しようといってもしません。本当は中高生になっても、親と一緒に「音読」など勉強をしても、おかしくはないと思います。ですが、子どもにとっては、格好悪いということになっていきます。それは思春期における精神的な成長ではあります。

さらに、高校生になると学校の科目おいて、選択性が進んできます。文系を志望するのであれば数学、化学、物理を諦めてしまう人もいる。そして受験に必要のない教科に対して、興味を示さなくなります。

勉強を一生懸命し続けていく中高生と、勉強を投げてしまった中高生は、勉強量に差がでてしまいます。二極化です。この二極化傾向は、大学でも感じることです。大学を卒業して社会人になると、専門の仕事について、勉強し続ける人と、何となく過ごして転職を繰り返す人とに分かれます。もちろん、転職をしても、スキルアップを目指し頑張っている人もいますが、勉強をせずにプロフェショナルとしての経験がなく過ごしてしまい、技術や知識が身についていない人は少なくないように思います。

10年間やり続けると物になる

吉本隆明さんは『ひきこもれ』（だいわ文庫）で、技術や知識を身につけるためには何でも、10年やるのが大事だといっています。10年やると、何んでも物になるというのです。熟練した職業人になるには、少しゆるんでいても、持続力があればいいというのです。

「のんびりやろうが、普通にやろうが、急いでやろうが、とにかく10年という持続性があれば、かならず職業として成立します。面白くても面白くなくても、コツコツやる。必死で頑張らなくったっていいのです。ひきこもっていてもいいし、アルバイトをやりながらでも何でもいいから、気がついた時から、興味のあることに関して『手を抜かず』ということをやっておく。何はともあれ、熟練に向けて何かを始めるところにこぎつければこっちのものです」と吉本さんは主張しています。

そして、一人でまとまった時間を過ごすのがとても大事で、「一人で過ごす時間が『価値』を生み出す」と指摘しています。

「ぼくには子どもが二人いますが、子育ての時に気をつけていたのは、ほとんどひとつだけと言っていい。それは『子どもの時間を分断しないようにする』ということです」

くだらない用事をいいつけて、子どもの時間を分断させないようにしたといいます。子どもの時間をバラバラにしてしまうのではなく、まとまった時間を持たせるのが大事だと訴えています。

さらに、「世の中の職業の大部分は、ひきこもって仕事をするものや、一度はひきこもっても技術や知識を身につけないと一人前になれない種類のものです。学者や物書き、芸術家だけではなく、職人さんや工場で働く人、設計する人もそうですし、事務作業をする人や他人にものを教える人だってそうでしょう」と。

まとまった時間で技術や知識を身につけるのが大切だといっているのです。食べていくためには10年間、何かに一生懸命になる。10年間やると大抵の事は何とかなるものです。

10年間、勉強を続ける人は、心配のない人です。逆にフラフラして勉強せずに、流されるように過ごしてしまう人は、身についた技術や知識が、何もないのではないかと思います。そうすると、社会人になってから不安になります。

中高生の時に一生懸命に部活や勉強をすると、社会人になったときに、その知識や技術が自分を支えてくれます。それが自信になってくるのです。10年間をどのように過ごしたのか。自分を支える知識や技術をつけるのが、勉強です。

2 「学ぶ」ことは人生を味わい深くする

学問は東京に置いてきた

福沢諭吉の『学問のすゝめ』に、「親戚、朋友を逢うて『わが輩の学問は東京に残し置きたり』と言い訳するなどの奇談もあるべし」といっています。

つまり、東京で勉強していた学生が、田舎に帰ってきたら、何を勉強してきたかと問われたとき、「学問は東京に置いてきた」というわけですが、それではダメなんだと福沢はいっているのです。

ようするに、書物を読んだが全部、忘れてしまった。そういうのは、学問ではないだろう。記憶しているかどうかが、学問をしてきたか否《いな》かの分かれ目となります。その本を持っていないと、何が書いてあったか分からない、さらには全然、覚えていないとなると、学問は自分の身についていないということになります。たとえば、医者がいて診断をするときに、すべて忘れてしまったとします。患者が咳をし、熱があったので、その病気が何かをインターネットで調べて、それを患者に伝えたとします。

インターネットで、どういう病気なのか答えが出るのかも知れませんが、患者としては、頼りない医者だと思ってしまいます。そんなことで医者が務まるのかと、不安な気持ちになります。

一般常識の基準とは

つまり、これまでの学問が身についている知識かどうかが重要なのです。たとえば、自転車に乗るという技術は、一度、身につけば一生ものになります。掛け算ができるというのも一生ものです。掛け算を忘れてしまった人がいると、ちょっと、どういう勉強をしてきたのかな。小学校2年、3年生の勉強がいい加減だったのではないかと、その人を疑ってしまいます。３×８といわれても、答えが出ない、あるいは簡単な漢字が書けない。そういう大人がいたとすると、この人、大丈夫だろうかと思います。

学校の勉強というのは、この社会で生きていくうえで、大切な常識を身につけるためです。ただ常識といっても、人によって常識の範疇《はんちゅう》が異なると思いますが、一定程度の漢字が書けるとか、計算ができるというのが一般的な常識です。

余談ですが、小学校5年生レベルの知識をクイズにして大人と競争するテレビ番組があります。5年生はできましたが、大人のあなたはどうですか、という番組です。小学校5年生ぐらいの知識を大人は忘れてしまったりするのです。

しかし、二次関数のグラフとか、因数分解、微分、積分も大人が知らなければならない常識なのか。

そもそも、そのような微分、積分、因数分解は社会に出たら使わないだろうという人がいます。だから、微分、積分、因数分解が常識であることに疑問を持つ人がいます。「果たしてこうした数学の公式を知らないと、この社会で生きていけないのか、それが常識なのか」となります。しかし、そういう人は後ほど、詳しく述べますが、見識が狭いのです。

「理科」と「物理」の常識は必要か

理科の教科書にもいろいろな法則が載っています。ボイルの法則（一定温度下での気体の体積が圧力に反比例する）とか、フレミングの左手の法則（磁場内での電流の流れが発生する向きの関係を示した）、オームの法則（電圧＝抵抗×電流）を大人になっても覚えているでしょうか。そういうものを常識とするのか、と思うムキもいますが、「そんなのは、常識だよね」といえるために学校があるのです。

学校の物理の教科書では、ガリレオ・ガリレイ（１５６４年～１６４２年。イタリアの物理学者で地動説などを唱えた）、アイザック・ニュートン（１６４２年～１７２７年、イギリスの数学者、天文学者、物理学者で万有引力の法則を発見）を学んで、最後は、アルベルト・アインシュタイン（１８７９年～１９５５年、ドイツの理論物理学者で「相対性理論」を提唱した）までたどり着けるようにできています。非常に優れたカリキュラムです。

芸術作品の常識

また、美術では、ポール・セザンヌ（１８３９年～１９０６年、フランスのポスト印象派の画家。代表作に『サント・ヴィクトワール山』）はこういう画風とか、あるいはディエゴ・ベラスケス（1599年〜1660年、スペインの画家。代表作に『ラス・メニーナス（女官たち）』『王女マルガリータの肖像』などがある）の絵の技法はこうだとかを教えます。

しかし、世の中にはパブロ・ピカソ（1881年〜1973年。生まれはスペインだが、フランスで活動した画家、彫刻家。代表作に『ゲルニカ』『アヴィニョンの娘たち』）を知らない人や、ジャン＝ジャック・ルソー（1712年〜1778年、フランスの哲学者）と、ジョルジュ・ルオー（1871年〜1958年、フランスの画家。代表作は『キリストの顔』）と、名前が似ているためにどちらが哲学者か画家か迷ってしまう人がいます。

さらにマルク・シャガール（1887年〜1985年、ロシア生まれのフランスで活躍した画家。代表作の『七本指の自画像』『誕生日』などがある）といわれても、ピンと来ない、知らないとなりますと、この人はちょっと常識がないのではないかと思ってしまいます。

あるいは、クロード・モネ（1840年〜1926年、印象派を代表するフランスの画家。代表作に『積みわら』『睡蓮』『並木道』などがある）と、エドゥアール・マネ（1832年〜1883年。フランスの画家。代表作の『オランピア』『草上の昼食』『笛を吹く少年』

などがある）の区別がつかない人は、美術の勉強を相当、さぼってきた人ではないかと思ってしまいます。それぞれの分野において、最低限の常識、基礎知識がない人と話すのは、難しくなるわけです。

基礎知識がなくても丁寧に教える

それでも、話して教えてくれるのが、学校の先生です。ありがたいことに、基礎知識のない相手に丁寧に初めから教えてくれます。学校の授業を受けると、文系、理系を問わず、ひと通りの基礎知識が身につきます。大学でさらに学ぶ場合、基礎知識があるので楽に学問を深めることができます。

学校に行けば、先人たちの積み上げてきた学問すべてが、体系的にコンパクトになっていて学べるのです。素晴らしく整理されたカリキュラムが作られており、親に同様の知識がなくても、子どもの学力は伸びていきます。

そもそも勉強をしてこなかった人は基礎となる常識がなく、たとえ大学へ入学したとしても、授業についていけない可能性が高いわけです。たとえば突然、大学で物理学をやろうとしても、基礎知識がないと無理でしょう。さらに、まったく音楽に関心がなかった人がいきなり、ビブラート（音の高さを上下させ、震えるような音色を出す）を習おうとしても、できないのと同じです。

どうしてか。学びは基礎知識に支えられているからです。基礎知識があると、学ぶ意欲がドンドン湧いてきます。基礎知識が全然ない人は、その面白さが分からないことになります。勉強はまず面白さを知ることからはじまります。

社会人になってからの勉強法とは

さらに、大学を卒業して社会人になってからの勉強は、何を基準に進めていけばいいのでしょうか。それは、驚きとかワクワクする感じをひとつの基準にして探っていくのが一番、いいと思います。

自分がワクワクするものは何か。音楽なのか。美術なのか。それとも、料理の世界、盆栽なのか。いろいろあると思います。それが決まったら、カルチャーセンターとか支援センターに行って、そのコースを選んで学びます。そこには先生がいて、学ぶことができます。

実は私もカルチャーセンターで教えていたことがあります。60代、70代の受講者たちが、イキイキとした表情で学んでくれたのを覚えています。カルチャーセンターへ来る受講者たちは、いずれも人生経験が豊富で、講師の私だけが若いためによく、「先生はまだ20代だから、知らないと思うけれど」といわれてしまうのです。が、こういう受講者たちと授業をしていると本当に楽しい。これが、本来の学びのカタチだと思うのです。みんな好きで集まっているということです。

やる気に満ちている学びの空間

ちなみに、江戸時代にあった「塾」というのは、今でいう学校ではありません。本当に学びたい人たちだけが集まってきたのです。ですから福沢諭吉が通っていた大阪の「適《てき》塾《じゅく》」(蘭学者で医者の緒方洪庵が蘭学を学ぶための私塾)は、オランダ語で医学書を読むのが、当たり前でした。

その勉強はすごく厳しいもので、オランダ語の試験がしょっちゅうあったわけです。当時、オランダ語の辞書は限られ何冊もありませんでしたから、みんなは奪い合って、オランダ語を一生懸命、勉強したのです。

オランダ医学を、イヤイヤ勉強する人はいません。生徒はすごく、やる気に満ちている。このやる気に満ちている空間というのは、理想的な学問の場といえます。ボーッとしている人でも、塾に来るとやる気が出て来ます。

今では、生徒を強制的に席に座らせて、先生が意を決してカリキュラムに従って一定の知識や教養を覚えさせるのが現状です。これは、悪いことではないと思います。学校のカリキュラムには、生徒ひとり残らず、これだけは身につけてほしいという願いが込められています。これは非常に大切なことなのです。

強制的に学ばせることはよくないと批判する人がいます。しかし、強制力がなくなったら人は、どうなるのか。人は安易な方向に流される傾向があります。

よって、生徒にはイヤでも強制的に学ばせる必要があります。それは、基礎知識がないと、その後の可能性がせばまるからです。

「物理」が消滅の危機か

1980年ごろ、普通高校において物理の履修者は9割いました。それが現在、1割台に落ちています。物理の授業は高校の教科の中で最も華やかで、私は面白いと思います。この人類の資産ともいえる教科を、生徒たちは学ばなくなったのです。それはなぜか、1990年代に科目の選択制を導入してしまったからなのです。

科目を選択する際に、物理は難しいそうだから、外すという高校生が続出してしまったわけです。その結果、物理をほとんど生徒は履修しなくなりました。

科目を選択するというのは一見、自由で主体的に選択しているようですが、実は、そのことによって物理の勉強をするという機会を、高校生たちから奪ってしまったのです。かつて、物理は必修科目でした。物理が好きでない学生がいたかも知れません。それでもすべての生徒に物理学の常識は身につきました。選択を、生徒たちの主体性に任せると、とんでもないことが起きてしまうのです。

私が高校生の時、理科の中に地学、生物、物理学、化学がありました。そういう科目を全部、習ったわけです。ところが、今では驚くことに地学や、物理がカリキュラムに入っていない高校があるのです。

これは生徒に選択の自由を与えた結果です。必修科目として、強制力を持って学ばなければ、良さが分かりません。残念ですが物理の面白さに、みんな気づかずに放り投げてしまった格好になっています。

自由の意味をはき違える

大学入試の共通一次試験は、7科目でした。私は文系でしたが、それでも理科を2科目選択する必要がありました。

理科は物理と化学で、社会は日本史、世界史を選択しました。そのほか国語、数学、英語があり、7科目が全員、必要だったわけです。理系の人も社会科を2科目やる必要がありました。しかし、それでは生徒たちの負担が大きいだろうということで、受験科目をドンドン、減らしていったわけです。

そうすると、生徒たちの勉強量が減ってきます。それは、本末転倒です。実は、多くの科目が必須であったほうが有難いのです。勉強量は増えて面倒くさいのですが、いろいろな科目を一生懸命、勉強したほうが多くの常識が身につきます。そのほうが社会人になってから役に立つのです。

今の時代は自由の意味をはき違えており、自分が好きなことだけをやればいいと思っています。

前述した緒方洪庵の適塾に集まった塾生たちは、たしかにオランダ医学が好きで、自主的に習いにきました。しかし、自分にとって何が好きかを選択するうえで、大切なことは、一般常識という基礎がなければいけないということです。基礎を身につけたうえで、自分の好きな道を選択して突き進むのは大変に結構なことです。

基礎勉強は、嫌いであろうが、やらなければいけないのです。基礎的な一般常識がない生徒には、自分は何が本当に好きなのか分かりません。だから、そんな生徒に好きなことだけを選ばせるのは間違いです。世界の広さや深さを知らないまま、選択させてはいけないのです。選択を間違えた結果、その人にとって人生を貧しいものにする可能性がありま す。物理を知らない人が8割以上になった現状を私は肯定できません。

面白いと感じる素地をつくる

数学が嫌いな子は、数学、物理などすべてを拒否してしまうでしょう。そうすると、人類の遺産でもある微分、積分を全然理解しないで人生が終わってしまわけです。それは寂しいことです。

数学の微分、積分は学問において、一種の「華《はな》」です。その魅力を少しでも感じて、数学は素晴らしいと思ってほしいのです。勉強というのは、この世の中にある文化遺産を幅広く、深く捉えることです。たとえば、自然に対しても、学ぶことを通して、その素晴らしさ、その面白さを感じることができる豊かな感性を養う素地を作るのです。不思議だ、すごいなと思うためには、一般常識としての基礎知識がどうしても必要です。

また、音楽が嫌いな生徒がいたとすると、モーツァルトやベートーヴェンの良さが分からずに、一生を終えるわけです。それは非常にもったいない人生だと思います。人によっては、それは知らなくていいと、いい張る人がいるかも知れませんが、できれば最低限の常識を身につけて、その良さを体験してほしい。そのように考えるのが先人の思いです。

アポロ15号の実験になぜ感動するのか

かつてアポロ15号（1971年7月打ち上げ）のデイヴィット・スコット船長が、月面に降りて、重いハンマーと軽い鳥の羽根を一緒に落とした実験をしました。すると、ハンマーと羽根が同時に月面へ落ちたのです。それを見て、「ホォー」と感動する人と、「だから、何？」と思う人がいます。

やっぱり、ガリレオ・ガリレイのいったことが正しかったのだと、思える人は一般常識のある人です。重いものが速く落ちると、アリストテレス以来ずっと思われていたのですが、ガリレオは重いものが先に落ちるとは限らないと主張したわけです。つまり、「重力による物体の落下速度は、その物体の質量の重さによらない」というわけです。

ガリレオが斜面のレールに重い球と軽い球と同時に転がす実験をしたところ、重い球と、軽い球の到着時間はそんなに変わらなかった。そのことから、ピサの斜塔から、大小の鉛の球を落としたという伝説が生まれました。

実際に空気抵抗がない月面で軽い羽根と、重いハンマーを落としたら同じ速度で落ちたのを見て、何百年も経って、ガリレオは正しかったと感動するわけです。そういう常識を知らないと、その感動は分からないでしょう。

いろいろなニュースを見ていても、勉強をしている人ほど、その面白さが増します。

知識がないと感動は少ない

私はスポーツの試合を観戦するのが好きで、ある日、全日本卓球選手権の決勝を観ていました。その試合に対して、ある卓球の評論家が、「この決勝戦は史上最高の戦いであった。自分は長いこと、卓球をやって来たので、この感動をより強く感じることができ、幸せです」といったコメントをしていました。

卓球を長年やって来たからこそ、一般人より熱戦の感動がより強く感じられたのでしょう。だから、「幸せだ」といったわけです。それこそが、「学ぶ」ということなのだと、つくづく思いました。学んで、その分野に詳しい人ほど感動します。感動が少ない人は、あまり知識がない人です。知識がなければ、感動は起きません。「だから、何？」「それが、どうした」といった。驚きや感動が少ない人になると、心が揺さぶられるようなものがなくなり、人生そのものがつまらないものになるのです。

３　勉強は自己表現が大切

選ぶ喜びを体験する

ワクワクする勉強方法には、いろいろあります。たとえば、ある人が俳句にハマって、正岡子規（１８６７年〜１９０２年、日本を代表する俳人、歌人）が好きになったとします。すると、正岡子規の俳句の中から、自分が好きな１００句を選ぶ、それだけでもワクワクして胸がおどります。また、松尾芭蕉（１６４４年〜１６９４年、江戸時代前期の俳諧師）の中から30句選ぶというのも考えられます。芭蕉の句は、一冊の全集になっていますから、この中からベスト30を選ぶわけです。そういう課題を自分に課しますと、どうやって選ぶのか。それを考えるだけで、気持ちが高まってきます。

この時代の良さは、勉強したことを表現する土台があるという点です。インターネットには、学んだことを表現する無限の空間があります。ネットで発信する場合、何の資格もいらないわけですから、自分が学んだことを簡単に表現できます。

そこで、ネットで自分が選んだ芭蕉30句を発表する。自分のブログに書くことも可能です。誰かが「芭蕉」を検索したときに、自分が選んだ芭蕉30句に興味を持ってくれるかも知れません。それを見た人が、このセレクトは素晴らしいと感じとってくれたら、その瞬間、30句を選んだ人は芭蕉を勉強してきた甲斐があったと思えるでしょう。自分がやってきた勉強が表現につながると、喜びはひとしおです。

さらに長年、楽しんできたクラシック音楽で、自分の好きなクラシック音楽ベスト10とか、あるいは好きなピアニストのベスト10でも良いと思います。

吉田秀和さん（1913年～2012年、音楽評論家・随筆家）という音楽の魅力を伝え続けた方がいます。『世界のピアニスト』（新潮文庫）という本を出版されており、私はその本を手掛かりにCDを購入し、自分なりに好きなピアニストベスト10を選んだことがありました。技術面や華やかさなどで、どんなピアニストがいいか悩むわけです。この時間が楽しいわけです。私はピアノ演奏はできませんが、ピアニストの違いは理解できます。

セレクトには責任が伴います。なぜ、それがベスト10に入ったのか、説明が求められたのなら、「審査委員長」として説明ができるようにしなければなりません。それを考えるとさらに楽しくなるのです。あくまで主観によるものではあるけれども、ここの演奏が好きだとか、魅力を語りだすと、際限ないことになります。

イントロを選ぶ

テレビを観て参考になる番組がありました。それは『関ジャム　完全燃SHOW』（テレビ朝日系列で放送）という番組で、関ジャニがやっている音楽バラエティーです。それがすごいのです。先日はイントロをテーマにした番組の内容でした。音楽の専門家が、このイントロはすごいと、思っているものを発表します。

たとえばスピッツの『ロビンソン』でこのイントロはすごいとか。そしてなぜ、すごいのか、その理由を切々と語るわけです。この不安定さがいいとか、これはわざとやっていると思うとか。聴き取れるか、聴き取れないかのような微《かす》かな音にこだわっています。セレクト自体が、クリエイティブな作業がなされているということが分かります。

イントロだけで、ベスト5を披露していくわけです。他の音楽専門家と重なるときもあるし、そうでないときもある。そういうものを集めてくるだけでも、自己表現に至るわけです。

たとえば、好きな哲学書ベスト5、好きな名言ベスト10、世界の名著ベスト20など、自分なりにセレクトしたとします。

セレクトする観点からすると『論語』は取り上げやすいと思います。

私は学生に「『論語』名言ベスト10」を作ってほしいと要望します。10選んだら、そこに自分のエピソードをつけて発表するようにお願いをするのです。

この『論語』の言葉が良いと思うのは、何かしら自分の経験からそう思わせるからです。学生たちは10個のエピソードをつけて発表します。

『論語』は約２５００年前のものですが、自分のエピソードをつけることで、クリエイティブになり、『論語』が自分のものになっていきます。「論語読みの論語知らず」という諺《ことわざ》があります。『論語』を勉強しているものの、『論語』が全然、自分の人生に生かされていない。しかし、『論語』をセレクトして自分のエピソードと重ね合わせて話すと、『論語』が心の中に生きてくるのです。

たとえば、自分が好きな『論語』の名言として、「朝《あした》に道を聞けば、夕べに死すとも可なり」（朝に自分が生きていくべき正しい道を悟ることができるなら、その晩に死んでもかまわない）とか、「吾《わ》が道は一《いつ》以《もっ》て之を貫く」（ひとつをもって自分を貫くもの、自分の中で、ひとつ貫いているものは何だろう）をあげたとします。

それに自分のエピソードとか願望を重ね合わせます。そうすると『論語』の言葉が自分の中に入っていきます。それが大事です。

同じようにニーチェの『ツァラトゥストラはかく語りき』の中で、自分の好きな文章を選んでもらって、そこにエピソードを書いてもらいます。こうした「引用読書法」は表現に至る勉強法だと思います。成果が上がりやすいやり方です。

アウトプットが勉強の根幹

このように私は勉強の根幹に、アウトプットがあると思うのです。ただし、一般常識が身についていないと、アウトプットはできません。先ほどの例でいうと、松尾芭蕉の一般常識、知識があるからこそ、自分でセレクトできるわけです。

通常、インプットが勉強だと思われており、中学・高校の勉強もインプットが基本ですが、自分で練習して、手で書いてみて、自分でそれをアレンジし、さらに自分の言葉にするという、アウトプットを前提にしたインプットにこそ、意味があるのです。

アウトプットを前提として、それができるように、インプットする。そうでないと、インプットした勉強は、ただ目の前を流れていくだけになってしまいがちです。先生から「もう一度、いって見ろ」とか、「もう一度、書いてみてくれ」「やって見せてくれ」とリクエストされたら、すぐにできる。それがアウトプットだと思います。アウトプットができることによって、理解を深めることが可能となり、一生忘れません。

大人になってからの勉強も、このアウトプットがポイントとなります。「自分で表現する」喜びが湧いてきて、さらなる勉強意欲の向上につながります。テストで高い点数が取れたことに喜びを感じるのが、学校の勉強だとしますと、大人の勉強は、自己表現に至るとき、やり甲斐を感じるのだと思います。

自分を外に押し出す

もうひとつ、表現力についてですが「エクスプレション」(expression)という言葉があります。自分を外に押し出していく、積極的に外に発信するという意味です。

ある詩について、作者はどういう心情ですかと、聞かれて、答えるのが、国語の読解力です。それだけではなく、さらにこの詩を基《もと》に「アレンジして、新しい詩を作ってみてください」といわれたとします。それが、自分を積極的に外に押し出す表現となります。

たとえば、シンガーソングライターの井上陽水さんの歌に『ワカンナイ』という曲があります。これは宮沢賢治の『雨ニモマケズ』をアレンジした曲です。有名な詩ですが、それを基にして曲を作り歌に仕上げています。

そうしますと、それはひとつの違った表現となるのです。何かをアレンジして新たな生命を吹き込む。それもアレンジした人の独特な表現になっていくわけです。

4　社会で生きる、「数学」「理科」の考え方

「コーンフレーク」と関数

２０１９年12月に行われたＭ１グランプリという漫才の選手権がありました。そこで優勝したのがミルクボーイのふたり（駒場孝さんと内海崇さん）です。ご承知の通り「コーンフレーク」というネタを演じました。

それを簡単に紹介しますと、

ボケ「いきなりですけどね、うちのオカンがね、好きな朝ごはんがあるらしいんやけど」
ツッコミ「あっ　そーなんや」

ボケ「その名前をちょっと忘れたらしくね」
ツッコミ「朝ごはんの名前忘れてもうて、どうなってんねそれ」
ボケ「でないろいろ聞くんやけどな、全然分からへんねんな」
ツッコミ「分からんの？　いや、ほな俺がね、おかんの好きな朝ごはん、ちょっと一緒に考えてあげるから、どんな特徴ゆうてたかってのを教えてみてよ」
ボケ「あのー甘くてカリカリしてて、で、牛乳とかけて食べるやつやっていうねんな」
ツッコミ「おー　コーンフレークやないかい、その特徴はもう完全にコーンフレークやがな」
（中略）
ボケ「でもこれちょっと分からへんのやな」
ツッコミ「何が分からへんのよー」
ボケ「いや俺もコーンフレークと思うてんけどな」
ツッコミ「いやそうやろ？」
ボケ「オカンがいうには　死ぬ前の最後のご飯もそれでいいっていうねんな」
ツッコミ「あー　ほなコーンフレークと違うかぁ、人生の最後がコーンフレークでいい訳ないもんね」

ボケ「そやねん」
ツッコミ「な？　コーンフレーク側もね、最後のご飯に任命されたら荷が重いよあれ」

「コーンフレークと違うか」という漫才ですが、これは、コーンフレークのところに何を入れても漫才は成り立ちます。この意味から画期的な漫才でした。

それを世界史の授業で使うことも可能なわけです。

たとえば、コーンフレークにヒトラーを入れてもいいわけです。「それはヒトラーやないかい」「それはヒトラーと違うかい」。そしてもう少し詳しくいってみて、「やっぱりヒトラーやないかい」と。また、国語で「五里霧中」ということばを題材にしてもいいわけです。「なんか霧の中でという言葉があったような気がするが」「それは五里霧中じゃないかい」。そのやり取りは無敵です。そういうふうに、ネタは何でもいいわけです。

実際、新型コロナの影響でオンラインになった授業で、大学生が一人二役で、「おー信長やないかい」と日本史ネタでやってくれてウケていました。

さらに、この漫才を見て、関数（写像）のy＝f（x）のfを思い出してくれると、高校の数学の授業が生きてくることになります。f（x）のfは、ファンクションで、xにいろいろなものを入れると、ｆ（関数）の変化を経てそれぞれｙが導きだされます。ミルクボーイのこのネタの展開がｆなので、ｘとしてコーンフレークではなくてヒトラーや、信長を入れても面白い漫才になるわけです。この漫才は、非常に面白い。

このように数学を理解していると、普通の人より大きなものの見方が可能となり、本質を捉えることができます。数学を学んでいると、関係のあり方がハッキリしてきます。

微分的な考え方が見方を変える

また、微分的なものの考え方は、変化への注目にあります。微かな変化に気づくのが、微分的感性です。

たとえば、コーチが子どもにサッカーを教えているとします。そうすると、あまりうまくない子どもがいても、眼力のあるコーチは、「この子は最近、何か掴んでいる」と、その変化に注目するものです。

足が遅く、うまくボールが蹴れない子どもでも、進歩している場合があります。子どもの成長を見守る場合、変化で評価してあげる。そうすると、励ましやすくなります。今は下手でレギュラーに入れず、実力がない子どもでも、急速によくなって将来、大きく成長する可能性だってあるのです。

視点を変えて、株価の場合はどうでしょう。株価の予測は困難といわれています。

かつて日経平均株価は1万円台を割って、7000円台まで下がったことがありました。今、考えるとものすごく当時の株価水準は低かったわけです。そのときに大量に株を購入しておけば、すごいことになっていたでしょう。しかし、多くの投資家は、さらに株価下落が続くような気がして、怖くて買う行動はとれませんでした。

そのときに微分的な考え方で、株価を予測できた人がいたとしたならば、底値だと分かった可能性があります。円安基調となり、金融緩和という投資環境の好転も勘案することで、下がり続けてきた株価は、上向き傾向に変化したと気づいたはずです。

株価はいつか上がるものです。それがいつなのか、瞬間的な変化さえ見逃さなければ、下落傾向が転換したことに気づいたはずです。現在の数値を見るのではなくて、変化を見ることが大切です。

このように変化に注目するのは、微分的な物の見方です。微分は、社会に出て一回も使わないから、微分を知る必要がないと考える人は、見識が狭いといわざるを得ません。そもそも微分は、使う、使わないを別にしても、人類がたどり着いた「美しい数式」といえます。それを知ることは人類が歩んできた偉大な遺産に巡り合うのと同じなのです。

微分積分は、ニュートンとライプニッツというふたりの数学者が、同時にたどり着いたものです。この数学の美しい知的遺産を学ぶということ自体に意味があります。たとえ、微積の難しい計算ができなくても、意義を理解していますと、物の見方に応用が利くようになります。思考方法の向上に関わってきます。

これからは「判断力」を鍛える

実は2020年から順次、新しい学習指導要領が実施されていく予定です。その根幹にあるのが「思考力」、「判断力」、「表現力」の育成です。思考力というのは、物事を理論立てて考える力です。また判断力というのは、さまざまな条件の中で、どのようにして最適な判断をしていくのか。それは社会人の仕事でも、求められます。

これまでの学校教育で判断力を生徒たちに鍛えてきたかと問われると、明確ではありません。判断力の育成は、まさに新しい学力です。問題が起きた場合、どのように判断して対処するかが、これからの社会では大切になってきます。そういう意味から、前述した数学的な思考方法は、改めて重要性が増してきます。

たとえば、新型コロナウイルスの感染者が急増したら、そのときにどう判断したらいいのか。学識があれば、それを冷静に正しく判断できます。問題解決に必要な専門知識を持っているのは誰なのか、その専門家会議をいつ開き、その判断を誰に任せるべきなのか。さまざまな判断が求められるわけです。

これまでの勉強は主に記憶が中心だったために、必ずしも判断力はつきません。だから、学校教育の方針を大きく転換するわけです。判断力を磨く勉強をすると、負の事態に陥ったとき、どのように判断して対処したらいいか分かってきます。何を優先的に解決すべきなのか。そう考えますと、新しい学習指導要領の中に判断力を入れたのは、正しいと思います。

世界的な大発見をした高校生

次に、理科はなぜ、学ばなければいけないのか。その点について述べたいと思います。理科は自然がどういう仕組みになっているのかが分かる学問です。たとえば、光合成はこうなっていますとか、動物はどうやって生きているのかなどです。そうした知識を覚えることは必要なことです。

しかし、理科の根本は、観察と実験です。小学生になると、花の朝顔を観察します。芽が出て来て、それから葉っぱが成長して花を咲かせます。それを、子どもたちは丹念に観察して、思考力を培います。

世界的に注目された田上大喜さんという高校生がいます。田上さんは「蚊《か》」がどういう人を好んで刺すのかを研究し、それが認められてアメリカのコロンビア大学に研究者待遇で入学しました。

ＮＨＫの『ためしてガッテン』（２０１６年8月31日放映）やＴＢＳ系の『マツコの知らない世界』（２０１８年7月17日放映）などテレビにも出演して脚光を浴びたことがありました。

田上さんはなぜ「妹ばかりが蚊に刺される」のか疑問に思って、蚊の研究をスタートさせたのでした。まず蚊を飼育して、自分や妹の手足を蚊がいる飼育箱に入れて反応を観察します。そういう方法で、研究を進めていったのです。

すると、蚊が足の裏にいる常在菌《じょうざいきん》（健康な人の皮膚に必ずいる細菌）に激しく反応することが分かったのです。これは、世界的な大発見でした。試しに妹さんの足をアルコールでしっかりと拭いてみると、拭かなかった場合に比べて蚊が刺す数は3分の1まで減少したのでした。

観察する眼はビジネスに役立つ

このように観察する眼を育てるのはすごいことなのです。それが事実なのかどうか、確かめるために理科の思考方法は、非常に役に立ちます。観察と実験をすることで確かなことを教えてくれます。その観察に基づいて主張しないと、相手を説得できません。事実に基づかないで発言をしてしまう場合があります。すると「観察をしていないのに、そのようなことをいうのはおかしいじゃないか」と批判され、さらに、実験をせず、統計も取っていないと、「そのように結論づけるのは間違っているのではないですか」と反論されてしまいます。

国内最大のコンビニエンスストアチェーンであるセブン－イレブン・ジャパンを傘下に置く、セブン＆アイ・ホールディングスの会長・ＣＥＯだった鈴木敏文さんは、私との対談の際、「経営に当たっては常に、仮説を立てて実験、観察、修正を繰り返しています」とおっしゃっていました。「よく観察したら、分かった」ことがしばしば、あったそうです。

理系的な思考方法は、世の中の需要を感知して営業していくような、一見すると文系の領域に思えるようなマーケティングの仕事においても必要とされるわけです。

身近な事例を紹介します。

あまり人通りの多くないところにお店を出店して失敗してしまったケースです。私が住んでいる地区にある店舗は最近、短期間に5軒ほど変わりました。結論からいえば、商売に向いていない場所なのです。

その場所は大通りに面しており、一見すると出店に適していると思われがちです。しかし、通りが大き過ぎて、かえって商売に向いていないようです。近所の人たちは、「そこにお店を構えても難しいのにね」とウワサをしていました。でも、撤退するとすぐに別の業種のオーナーが来て、この場所に内装を整えて、新たに出店するのです。が、案の定、半年もたたないうちに撤退していきます。

それを見ていると、出店する前に、どれぐらいお店が変わっていったかを調べれば、ここは長続きしない場所だと気づくはずです。いわば、店の来歴を調べるのは、基本のはずです。その上で、詳細に観測をして研究し、出店するか否かを決めないと、大損をしてしまいます。

私の知人に、レストランをどこに出店すればいいのかを、常に観察し研究して考えている人がいます。その知人は、レストランというのは味以上にロケーションが大事だと指摘していました。

だから出店場所を決定する際、その知人は徹底的に観察をするのです。何となく、この場所はいいねと、行き当たりばったりで決めません。絶対に外さない場所を見つけます。このレストランは繁盛しているか否か、その知人はすぐに分かるといっていました。
観測と実験の精神があれば、出店は失敗しません。どこのレストランに人が入っているのかを観察します。その観察、データによって、どこに出店するのか決定します。うまくいっていているレストラン店は何が違うのか。それは、出店する場所をちゃんと事前に観察して、分析をしているのです。

理科・物理軽視が国を亡ぼす

このように、理科的な観察主義に基づいて物事が処理できるのか、または数学的な思考ができるのか、こうした思考スタイルを確立しているか否かで、今後の人生が大きく変わってきます。

しかし、その理科の授業時間数が最近、小学生で4割ぐらい減らされました。その分、道徳の授業時間などが増えたのです。高校では物理の履修者が1割台に激減して、科学立国をめざす日本は大丈夫なのかと心配になります。理科・物理軽視が国力を衰えさせてしまうような気がしてなりません。

いずれにしても、多くの日本人が理科的なものの考え方ができなくなり、「観察と実験が大事だ」という感覚が薄れていってしまうのではないかと、危惧します。理科の授業というと、ただ植物、動物、人体とかを覚えればいいと思いがちですが、理科を学ぶ根本にあるのは、理科的な考え方や思考方法を身につけることです。これは生きていくうえで大変な武器になります。

近代科学の父を生んだ原点とは

もともと観察、実験の重要性を説いたのはガリレオ・ガリレイです。ガリレオは工夫して望遠鏡を作り、太陽の黒点や、月面のクレーター、木星の衛星などの発見、また、その観察に基づいてコペルニクスの「地動説」を支持したのです。ですから、ガリレオ・ガリレイは〝近代科学の父〟と呼ばれています。

ガリレオが亡くなった年にアイザック・ニュートンが生まれ、ニュートンが「万有引力の法則」や「ニュートン力学」を確立し、微分積分法を発見します。その後、アルベルト・アインシュタインが出て来ます。

ニュートンは運動について簡単な方式で説明しました。これは「ニュートンの運動方程式」と呼ばれているもので、F＝maで表されています。Fは「力」でmは「質量」、aは「加速度」を示し、質量のある物体に力が作用したとき、加速度が生じる関係を公式で表したものです。

またアインシュタインはエネルギーと質量の関係をE＝mc^2という、公式でまとめました。Eはエネルギー、mは質量、cは光速度です。つまりエネルギーというものは物質の質量に光速の2乗を掛けたものに等しいという意味です。

それが、もとになって、原子力という発想につながります。太陽エネルギーも理解できます。考えれば考えるほど、すごい方程式なのです。『E＝mc^2 ——世界一有名な方程式の「伝記」』（デイヴィッド・ボダニス著、ハヤカワ文庫NF）というタイトルで、伝記まで出版されています。この本を読むと、改めて「この法則は何てすごいのだろう」という気持ちになります。それこそが学びの良さです。

重力波の衝撃

また、アインシュタインは一般相対性理論に基づいて重力波（時空のゆがみの時間変動が波動として光速で伝播《でんぱ》する現象）という存在を予言しました。当時、重力波は見つかっていませんでしたが、予言してから100年経った2015年9月、アメリカのワシントン州とルイジアナ州にある巨大観測装置ＬＩＧＯ（ライゴ）によって、ついに重力波が観測されたのでした。１００年も経って、「やはりアインシュタインは正しかった」ことが証明されたわけです。それはすごいことで、そこに感動があるわけです。重力波のことを知っていなければ、このニュースのすごさは分かりません。

重力波というのは、ブラックホールが形成されるときや、連星ブラックホールのスパイラル運動とその合体で発生するといわれています。超重量の物体付近で時空が歪みます。はるか昔に起こった、その歪みが波としてようやく地球に届いたわけです。

アインシュタインは重力波の存在を理論的に予測したわけですが、重力波は観察できるはずだとして長期間にわたって実験、検証していた研究陣の努力にも頭が下がります。そして今回、13億光年かなたでふたつのブラックホールがぶつかったときに発生した重力波を、ついにアメリカのふたつの観測所でほぼ同時に観測したのでした。

私はその話に感動し、授業で学生に「重力波」というショートコントを考えてくれと頼んだことがありました。さすが、明治大学の学生は各グループ、面白い「ショートコント」を作ってくれました。

これも、一種の表現力です。今、自分たちが聞いた重力波を表現するわけです。そのショートコントを観れば、何が重力波か分かる、不思議なコントでした。

また、鹿児島の中学校で開催された私の講演会で、出席していた中学生にも「ショートコント重力波」やってもらいました。ふたりが壇上に出て来て、全身を波打たせて、重力波を表現してくれました。私はその創造性に驚かされ、感動したのを今でも覚えています。私はこうした表現力が新しい学ぶ力だと思うのです。


すでにある知識をより面白いカタチに、あるいは自分たちが理解できるものに、思いもよらないものに変えていく。それを見て、笑いが起こる。笑いが起こるというのは知的な働きです。ユーモアは知性の最高峰だと思います。

教育は「自己表現力」の向上をめざす

新しい教育は、知識を咀嚼《そしゃく》して、自己表現力を高める。それが勉強の新しいカタチだと思います。これまで先生が一方的に生徒に教えることを中心としてきました。テストは受け身です。

世界史のテストなら丸暗記していけば、ほぼ点が採《と》れます。それは表現力ではありません。先生から「君の意見はどうですか」「どう見ているのか」と問われたときに答えられない。それではダメなのです。これからの時代は違います。

たとえば、宗教改革（16世紀のキリスト教会体制を改革する運動。教皇位の世俗化、聖職者の堕落に対して不満を持った信徒がローマ・カトリック教会から分離してプロテスタントに発展した）がもたらした影響について書きなさいといわれて、うまく答えが書けない。それでは困るので、宗教改革の影響について、ショートコントを学生に作ってもらいました。そうすることで、理解が進み、自分の意見がいえるようになるのです。

または、ＡとＢの関連性について述べなさいといわれたときも同じです。最近の記述式テストは表現力を問うものになってきています。

そこまですると、授業内容は変わってくると思います。私は真面目に大学の私の授業すべてを、ショートコントにできないかと考えています。

私が教鞭を執っている明治大学の学生は、表現力のある学生が多いので、重力波に続いて化学反応をショートコントにしてくれと頼みました。すると漫才、モンスターエンジンの『暇を持て余した神々』というコントをもじって、理系の女子学生が、レベルの高いコントを作ってくれたのです。芸人の一発芸より、知的なコントにビックリしました。

柔軟な発想で替え歌、コントに挑戦

さらに、学生には替え歌にも挑戦してもらいました。たとえば、三権分立は誰でも知っていますが、それを小学生が覚えやすいように歌にしてください、と課題を出します。小学生が、一度聞いたら忘れられない三権分立の歌を、全員で作るのです。そして歌ってもらいました。曲は『ドラえもん』でも、『サザエさん』でも、何でもいいのです。歌う学生はその５分間、異常に集中します。作った三権分立の歌をみんなの前で歌うのは、かなりの表現力が必要だと思います。

こんなお願いをしたこともあります。授業で『論語』を取り上げました。その授業で私は２人１組になって、何でもいいから『論語』の言葉を漫才にしてくれといいます。５分後に発表してもらうわけです。「ショートコント『論語』」のはじまりです。現代を舞台に『論語』のコントしてもらいました。孔子がこういったというのでは単なる説明ですから、それはコントになりません。現代に舞台を変えるなど、柔軟な発想が重要です。

そういうトレーニングを私は学生にするわけです。学生たちは私の無茶ぶりに強くなります。何を要求されるか分かりません。結果として、メンタルと対応力が鍛えられることになります。

5 国語力は人間力を高める

生きた『論語』を学ぶ

渋沢栄一は『論語と算盤』という本を書いています。「『論語』や儒教は商売などの経済活動を軽視している」と受け止める人が多い中、渋沢栄一は「それは違う」と考えました。「経済活動においても『論語』に書かれている思想は生かせるのだ」と信じ、その思想や言葉を自分の指針として経済活動を行い、経営のブレを少なくしたのです。「『論語』は経済活動と無縁だ」と考えられてきた江戸時代では、商人からはどちらかというと、蔑《さげす》んでみられていました。

それにもかかわらず、「『論語』は経済活動においても重要な古典だ」として、自らの経済活動に『論語』を取り入れた渋沢栄一のやり方、考え方は、「学び」のひとつのモデルといえます。

『論語』について解説できる人は、『論語』を学んだ人といえます。しかし、それだけでは不十分です。大事なのは、渋沢栄一のように現実の世界で、学んだことを生かしていくことです。それができていれば、その「学び」は本当に生きた「学び」といえます。

このように『論語』ひとつとってもいろいろな解釈があります。

最初はこう思ったけれど、よくよく考えてみると、こういう見方もできると、変わることがしばしばあります。それが文学です。

文学部の卒論テーマに夏目漱石、太宰治を多くの学生が選びます。その卒論で、いろいろな解釈が出て来ます。

それが、文学のいいところだと思います。もちろん、答えがひとつとは限らないから、文学は嫌いだという人がいて、理科系に行く学生も少なくありません。しかし、答えがハッキリしないのが文学のよさです。

多様に意味を取り出すことのできる力。それが解釈力です。

要約力が説明力のアップにつながる

一方で、複雑そうなものをシンプルにまとめる力も大切です。それが要約力です。

難解な文学評論でも、要約すると、結局はこういうことだと、理解できるようになります。これは国語力です。要約は国語の力を鍛えるために非常に有効です。

ダラダラした文章とか小難しい文章を、分かりやすく200字で要約できる人がいたとすれば、その人の国語能力は相当、高いと考えられます。この要約力の高さは説明力の向上にもつながります。

文章の要約が下手な人は説明も苦手です。説明力が高い人は、生涯にわたって評価されます。会社の会議で、手短に要約して説明してくれる人は一目置かれます。というのは、時間の節約になりますし、みんなの理解を助ける力にもなるからです。説明力は、社会人にとって大切です。この説明力の根本は国語の時間に鍛えられてきたはず。要点を外さずに、ちゃんと説明することができるかがポイントとなります。

私の経験から申しますと、要約力が高い人たちが、課題の文章を読んで要約すると、だいたい同じような要約内容になります。ところが、要約力のない人たちが要約すると、その内容はバラバラになってしまいがちです。

そして、要約力がない人は大抵、自分の感想文となってしまいます。中には要約なのに、著者の主張と正反対の意見を平気で書いてくる人がいます。そういう人が多いことに驚きます。

この要約力をつけるためにどうすればいいのか。それは読解力を高めることです。自分で文章の意味を汲《く》み取って、それを簡略化して表現する。その読解力が乏しいと、たとえば主人公はどういう気持ちだったのかも読み取れません。『桃太郎』とか、『浦島太郎』のおとぎ話なら、解釈を間違える人は少ないと思いますが、ちょっと長い小説になりますと、要約ができない人が多いわけです。中には要約ができていないのに、その作品を批判する人がいますが、妙なものです。

マンガ『コボちゃん』と要約力

読解力、要約力を育《はぐく》む観点から工藤順一さん（1949年～2016年、国語教育者）の本を紹介したいと思います。これは『国語のできる子どもを育てる』（講談社現代新書）という本です。この本には子どもの作文力を養う工夫があって、非常に面白いと思います。具体的にいうと、読売新聞で毎日掲載されている植田まさしのマンガ『コボちゃん』の四コマ漫画を読んで、その内容を100字～150字という短い文章でまとめるというものです。

実際に私も、小学生たちにマンガ『コボちゃん』を要約して短い作文を書かせてみました。すると、その小学生たちの国語力が上がったのです。当然、この要約した作文には四コマ漫画の面白さが伝わっていないといけないわけです。

また、マンガにあるセリフをカギかっこをつけてそのまま引用してはいけないルールになっています。ですから、言い換えが必要になります。

それは大変です。それが出来たら、大したものです。小学生はそれをやっているうちに、要約がだんだんとうまくなっていきます。読解力も自然についてきます。

『コボちゃん』の作品はたくさんありますので、いくらでも練習ができます。150字で書くことに慣れてくると、要約力が間違いなくアップします。これが国語力の基本です。

国語は、どうやって勉強したらいいのか分からない人がいますが、まずは要約する力をつけるようにしたらいいと思います。

この観点から、新聞記事を「縮約」するのも一法でしょう。新聞記事の言葉を自分の言葉に置き換えるのではなくて、新聞記事の言葉を使って、記事が200字なら、それを50字でまとめる。

その記事の言葉をすべて使って、余計な言葉を省く。それが縮約というものです。要約とは、少し違いますが練習になります。「この言葉は核心を伝えるためには必要ない」といった判断をします。余計な言葉をカットする「省略力」も表現になります。

読みやすくした物語

考えてみますと、ウィリアム・シェークスピア（１５６４年〜１６１６年、イギリスの劇作家で、四代悲劇の『ハムレット』『マクベス』『オセロ』『リア王』をはじめ『ロミオとジュリエット』『ヴェニスの商人』『ジュリアス・シーザー』など多くの傑作を残した）の作品は世界的に有名ですが、戯曲なのでちょっと読みづらいわけです。

それをチャールズ・ラムとメアリ・ラムが『シェークスピア物語』（岩波少年文庫・チャールズ・ラム、メアリ・ラム共著、安藤貞雄訳）を出版して読みやすくしました。そうしたら、『ハムレット』が、物語として非常に読みやすくなり、シェークスピアの面白さが伝わるようになりました。それもひとつの表現力です。それで、多くの人がシェークスピアの作品に慣れ、世界中でベストセラーになったのです。

また、『論語』に関しては下村湖人（１８８４年〜１９５５年、作家で社会教育者。主な著書に『次郎物語』『教育的反省』などがある）の『論語物語』という本があります。『論語』を物語にしてくれているこの本が私は好きです。

『論語』は、バラバラの言葉で構成されていますが、それをエピソード風の小説にしてくれています。本当に素晴らしいもので、私が学生に勧めると、みんな喜んでくれます。

さらに中島敦（1909年~1942年、作家。『山月記』『李陵』など漢文調に基づいた芸術性の高い作品を残している）の書いた『弟子』（1943年の「中央公論」で発表された）という小説も孔子と弟子の子路の関係がよく分かるものになっています。これも、非常にクリエイティブなものです。

『論語』の言葉だけではピンと来なかった人間関係が、物語になると浮かび上がってくるのです。古典は分かりにくいものなので、上手に解説している啓蒙書は、その本のエッセンスが吸収でき、なおかつ、現代の課題に引きつけやすいカタチで理解することが可能です。

学ぶ際には、そんな啓蒙書を探すことも大切です。

一方、ニーチェを読むなら、ニーチェの言葉をセレクトした本を読むこともいいし、その言葉について優れた解説を展開している書を読むこともお薦めです。ニーチェの訳書でも「この翻訳家の本がいい」という選び方もあるでしょう。

引用が面白い

次に、引用について触れたいと思います。私は教養とは、引用力でもあると考えています。

村上春樹さんの小説『1Q84《いちきゅうはちよん》』には、チェーホフやドストエフスキー、映画『2001宇宙の旅』（スタンリー・キューブリック）など、いろいろなものが引用されています。たとえば「あの場面はドストエフスキーの作品を踏まえたジョークだったんだ」などと気づきます。

そもそもタイトル自体、ジョージ・オーウェルの小説『1984』（全体主義国家によって統治された近未来世界の恐怖を描いている）の引用でもあります。

また、『カラマーゾフの兄弟』を読んでいますと、興味深いことに登場人物のグルーシェニカが語る民話の『一本の葱《ねぎ》』が、芥川龍之介の『蜘蛛の糸』と似ているのです。

この民話の粗筋《あらすじ》を紹介しますと、昔、意地の悪い女がいて、死ぬまでよいことをしなかったので、悪魔によって火の湖に放り投げ込まれてしまいます。天使はかわいそうに思い、神さまに、その女が一本の葱を畑から抜いて乞食にやったことを伝えます。すると、神さまは「では、この葱を拾ってきて、女に掴まらせ、引っ張りなさい」というのです。葱に掴まった女は、もう少しで岸に上がるところまで来ましたが、他の罪人たちが女にしがみ付き、一緒に引き上げてもらおうとしていたのです。すると、女は「これは私の葱だ」といって、他の罪人を蹴落とした途端、葱はぷつりと切れて、女は再び、火の湖に落ちてしまう、という話です。

このように、ドストエフスキーから芥川龍之介につながっていきます。

好きな作家がいたら、その作家とつながっている作家の作品を読んでみる。そうするとつながりが深く感じられ、得るものが大きいと思います。芋《いも》が根につながって次々と出て来るようなイメージです。それも、本のいい読み方です。

「ビブリオバトル」に注目

こうした中、自分が読んだおススメ本を紹介する「全国高等学校ビブリオバトル」（活字文化推進会議、主管は読売新聞）が注目されています。

「ビブリオバトル」というのは書評合戦という意味ですが、高校生たちが読んで感動した本を解説、紹介していきます。その紹介の仕方が実にうまいのです。その本を要約するだけではなく、それを聞いている人たちに問いかけをし、自分にどんな変化があったかまでを説明していきます。

私はこのバトルの審査員に呼ばれることがあるのですが、高校生たちの本に対する愛情、思いが、胸に「ドン」と伝わって来て、審査に困ったことがありました。今でも覚えているのですが、『君の膵臓を食べたい』（住野よる著、双葉社）を紹介した高校生がいて、それが非常に印象的でした。この本は後に映画化、アニメ化されて話題を集めました。

そして、発表が終わったら、最も読みたくなった本を審査員、出席者全員の投票で決めます。

どんな本を読んでいいか分からないという中高校生がいます。そんな生徒はネットで、「ビブリオバトル」で紹介された本を検索して参考にして下さい。検索すると書名が一覧で出ます。本をたくさん読んできた生徒が、これだと思って選んだ一冊ですから、きっと気に入ると思います。そうすると、自分の基準で選ぶよりも、読む本の幅が広くなってきます。

「読書」を習慣化する

ただ、読書にもレベルの差というのがあります。本の種類によるレベルの差があるのはもちろん、読み方の深さの違いもあるわけです。

授業では学生が質問されたときにきちんと答えられるか、読んだ後の考えやコメント内容が問われます。これを常に試される状況にあると、学ぶことに切迫感がでてきます。すると、読書が知的な方へと向かっていきます。

そのような授業を半年くらい続けると、ほとんどの学生は読書の習慣ができ、大学を卒業した後も本を読める人間に育っています。

私の授業では、まず読書の習慣化を目指しています。

「学ぶ」ということは、「変わる」ということでもあります。よりよく生きるために、過去の自分から少しずつ変わることが、大切となってきます。そのために私は「ルールの慣習化」に重視しています。

ルールを慣習化して身につけ「ワザ化」すれば、いろいろなことが、変わってきます。ここでいう「ワザ」とは「反復練習によって身についた、いつでも取り出し可能な動き」を意味します。

米国の哲学者・心理学者であるウィリアム・ジェームズがこんなことをいっています。

「心が変われば行動が変わる。行動が変われば習慣が変わる。習慣が変われば人格が変わる。人格が変われば運命が変わる」と。

「運命を少しでもいい方向に変えたい」と願っている人は多いと思いますが、それを実現するには「心が変われば、行動が変わって、習慣が変わって、人格が変わって」という順序をたどらなければならないということです。

「福沢諭吉」のふたつの側面を学ぶ

最初、学生に集中的に読ませるのは、福沢諭吉の『福翁《ふくおう》自伝』です。

その中に、着るものに構わず、食事をしたら即、勉強するという、あの時代の青年たちの切磋琢磨する話が出て来ます。それを読ませると、学生たちは刺激を受けて、「自分たちは、そんなに面白そうに勉強をしたことはないな」と思うのです。

それと同時に、福沢諭吉の『学問のすゝめ』も読ませます。そこに書かれていた思想は、このような生活を送っていたからこそ生まれたのだということを理解します。

諭吉が生きてきたプロセスと、彼が唱えた思想、学問をセットで学ぶことができます。つまり、優れた人間のふたつの側面を学ぶことができるわけです。人間の「生」そのものを描いたテキストと、「思想」を描いたテキストを並行して読むことにより、生きた学問を感じることが出来ます。

こうして国語力のアップは人間的な魅力を高めることにつながります。

6　偏見から抜け出す

「哲学者」や「思想家」に対する食わず嫌い

哲学者や思想家について、多くの人は、食わず嫌いです。食わず嫌いというのは、そもそもその存在を知らないか、存在は知っていても思想の中身を知らないかのどちらかです。たとえば、哲学者のヘーゲルやカントの考え方について、好き嫌いを日本人に問うてみたところで、ほとんどの人は好きも嫌いもないはずです。それに対して、何となくよく分からないで嫌っているケースが大半です。

それとは正反対にカント主義やヘーゲル主義に嵌《は》まってしまう人もいます。

私たちが生きていくうえで、カントやヘーゲルがどうかかわってくるのか。それは彼らの思想をどう捉えるかにかかってきます。

正しく学ぶことは大事ですが、よりよく生きることのほうがもっと大事です。その「よりよく生きる」ためにカントやヘーゲルの考え方を学ぶことが有益になるわけです。

仮にカントの全体像を本格的に理解するのに10年間かかってしまうとしたら、それは専門家にまかせて、取りあえず解説書を手掛かりにして、1週間つき合ってみましょう。そして、自分にとって有益な一文を見つけたら、その文章をメモして人生の指針にするのです。そうした読み方は効率的です。「定言命法《ていげんめいほう》」や「コペルニクス的転回」といったキーワードをメモするのでもいい。「自分を変えていく行動や考え方の指針をどれだけ獲得できるか」という視点でカントなどの哲学を学ぶことはいいと思います。すると、難しい本でも読み方が変わってきます。

「ファンクラブ」が勉強の基本

また、「ファンクラブ」の活用は、勉強の基本形のような気がします。ギリシャの哲人ソクラテスは多分、今でいう「ファンクラブ」らしきものが、あったのではないかと思います。ソクラテスの対話方法や人格の大きさに憧れた若者が、プラトンを中心にたくさんいました。ファンが多くなり過ぎたことから、青年たちを騙《だま》したといわれて、ソクラテスは罰せられたのです。

また、ソクラテスの弟子であるプラトンが学園「アカデメイア」を創設します。その学園ではプラトンを慕ってたくさんの人が集まりました。プラトンはこの学園で「幾何学を知らざる者、この門をくぐるべからず」という標語を掲げたのです。このように学びが好きな人間が集まって、学問を深め、広めることも大切だと考えます。

そしてプラトンはイデア理論にたどり着きます。その基本モデルは幾何学です。イデアというのは「姿」「理念」「観念」という意味で、たとえば三角形には三角形のイデアがあります。虎なら虎のイデアがあると唱えます。

三角形や虎を見ても、形や色は一つひとつ異なりますが、三角形、虎はこういうものだというイデア（概念）があるわけです。四角形を見て、それを三角形とはいいません。同様にライオンを虎とはいいません。そしてプラトンは「善」「勇気」にもイデアがあると考えます。

このようにプラトンは、最終的にイデア界のようなものが世の中にあると主張します。もちろん、私たちにはそれを直接、見ることはできません。けれども、イデア世界のほうが現実世界よりも完全なものであり、それがあって私たちの住む世界が成立していると理解するわけです。

概念を重視する

つまり、イデアはいわば神々が住む世界に近いイメージです。とはいえ、「現実の世界の外側に神々が支配するようなイデアの世界があり、私たちは、それを映し出した影を見ているのに過ぎないのだ」などといわれると、ちょっと違和感があり、別世界を想定しているのではないか、と思ってしまいます。そんなとき、次のように発想を変えてみると、分かりやすいと思います。

たとえば、「三角形を描け」といわれたら、各人は適当な三角形を描くはずです。それは、誰が見ても三角形と分かります。一見すると、バラバラに見えるけれども、それを見た全員は間違いなくそれらを三角形と認識することができます。つまり、私たちは三角形という「概念（イデア）」を知っているから、三角形と認識できる図を描くことができるわけです。

そうであるなら、「現実の個々の三角形よりも、三角形の概念のほうが重要だ」といわれたら、「それはそうだ」と納得できるでしょう。

三角形と四角形など別の図形はしっかり区別するものの、三角形自体の大きさや内角の違いにとらわれる必要はありません。このように、現実よりも概念が優先されているといわれれば、何かを認知するときでも、その考え方のプロセスはまったく変わらないと思います。

スイスの言語哲学者ソシュールの「言語論」のように「私たちは言語という網の目で世界をとらえている」のです。私たちには言葉があるため、「あれは植物だ」「ここは海だ」「それはコップだ」など、すべてに名称がつけられて分類されています。

世界を言葉で分節化して捉えています。のっぺりした混沌（カオス）ではなく、言葉で整理しています。

だから、世界を秩序だったもの（＝コスモス）としてみることができます。言葉には理念・概念としての機能があります。イデアの考えは、現代の言語論までつながっているのです。

そして、イデアの考えにつながる幾何学を教える学園「アカデメイア」にアリストテレスが入ってきます。このようにしてギリシャ哲学はソクラテス、プラトン、アリストテレス（後のアレクサンドロス大王の家庭教師も勤めた）とつながっていきます。

「哲学」と「数学」はつながっている

数学と哲学は深くつながっています。哲学者であり、数学者でもあるという学者は結構います。ピタゴラス、デカルト、パスカル、ライプニッツ、ラッセルなどが挙げられます。哲学とつながっている数学は、私たちが生きるうえで大切な学問です。この数学の本質を理解できずに一生終わるのは、ものすごくもったいないことです。

プラトンはイデアの考えを、数学の研究を重んじたピタゴラス学派から学んだ面があり、数学的な概念の捉え方や証明の仕方などを「知」の重要なモデルとして位置づけています。

先日、私は青森県のある高校から講演会を頼まれて、次のようなデカルトの話をしました。

「『我思う、ゆえに我あり』という言葉を残したように、デカルトは自分の立脚点を自分が思考していることに置きました。その一方で、彼は『座標軸』という数学的概念を発明したと言われているのですが、この両者はどんな関係にあるのでしょうか」

そう簡単に答えられるものではありません。「我思う、ゆえに我あり」は哲学上のことで、座標軸は数学上のことであるため、同じ人間が考えたとはいえ、両者はかけ離れています。

でも、これにはつながりがあります。この問いかけを講演会でしたのです。

千人以上も詰め掛けている会場で、自分の意見を発表するのはなかなか勇気のいることだと思いますが、ふたり目の生徒がこう答えました。

「どちらにも原点がある」

それが正解です。正解といっても、この問い自体、私が勝手に考えたものなので、私の考えと同じ、という意味ですが、私は絶賛しました。

要するに、デカルトは精神の立脚点を「自分は考えている」ということに置いています。それは、神の存在とは無関係に、自分の思考によって自分がそこに原点として存在するということ。原点は自分だというわけです。

一方の座標軸も、原点を定めればすべての位置関係が決まります。

たとえば、x軸、y軸、z軸という座標軸の原点を自分にしたとすると、冥王星はもちろん、銀河の果ての星さえ、座標で表わせます。つまり宇宙の全存在と自分の位置関係を確定できることになります。こんなふうに、ある1点を原点とすれば、すべての位置を確定できる座標軸は、画期的な発明だったのです。

「学び」を広げる

学びのコツとして、素晴らしい学びに出会ったら、それを広めることが必要だと考えています。NHKの『びじゅチューン!』という番組で、井上涼さんが名画を題材としてアニメと歌の作品をシリーズ化しています。たとえば、オランダの画家フェルメールの作品、『真珠の耳飾りの少女』を題材にした、アニメと歌（作詞・作曲・歌、アニメーション・井上涼）、そして、同様にイタリアの画家ボッティチェッリの作品『ヴィーナスの誕生』（同）を題材にしたアニメと歌が放送されました。この作品の面白さに私はビックリしました。

実に独創的な歌です。『真珠の耳飾りの少女』を題材にした『真珠の耳飾りのくノ一』は、少女のつけているその耳飾りは爆弾だったというわけです。「闇に潜む悪意をめがけて、さあ一粒おみまい」というフレーズを聞いた私は爆笑してしまいました。同じくフェルメールの『牛乳を注ぐ女』から発想した『何にでも牛乳を注ぐ女』もおすすめです。

また『ヴィーナスの誕生』を題材にした『委員長はヴィーナス』では、貝殻の上にヴィーナスが乗っているのですが、ヴィーナスがクラス委員長という設定で歌っています。ヴィーナスが、貝殻に乗っての登校は校則違反。貝殻に乗って登校してはいけませんという歌です。ユーモアにあふれた、素晴らしい才能です。

アニメ、歌も面白い。ひとつの絵からこんなに面白いストーリーを作って歌ってのクリエイティビティー（creativity＝創造性・独創的）の高さに感心させられました。私は歌も作れないし、アニメも描けない。しかし、このアニメ、歌の面白さは分かります。そして、この面白さが分かった人のミッションは、周りの人にその面白さを広めることです。イエスの弟子たちのように布教するでしょう。私も学生たちにこのアニメを広めています。いいものを、広げること、それは勉強した人の務めだと思うのです。

イエス・キリストの言葉を十二使徒（12人の弟子）が広めなかったら、キリスト教はおそらく成立していません。弟子がイエスの言葉と行動を聖書というカタチで記録に残し、パウロたちが教会をつくったからこそ、初めてイエスが歴史に残っていくわけです。イエスは偉大ですが、それを記録し広めた弟子たちも素晴らしかった。『論語』も同様にまとめたのは、孔子の弟子たちです。その弟子たちがいたから、『論語』が世界に広まったのです。

偏見を乗り超え柔軟に接する

さらに音楽でいえば、自分の基準で何となく、世界に比べて、日本のＪ－ＰＯＰとか、ロックはたいしたことないと思っている人がいます。これは偏見であり、ちゃんと聴くと結構、レベルは高く認識も変わります。

日本のロックバンド、ワンオクロック（ONE OK ROCK）やサカナクションなどを、私は学生に薦められて聞くわけですが、聞いてみると、いいものだと実感します。

最近のラップやロックなどただうるさくてイヤだという人もいるかと思います。しかし、何回も聞いているうちに、良さが分かってくる場合があります。別に若い人に合わせるつもりはないのですが、自分の感覚が広がる面白さはあるということをいいたいのです。

つまり、柔軟になっていくというのが、勉強するひとつの姿勢だと思います。勉強して硬くなってしまったら意味がありません。勉強というのは、心を柔らかくして活動範囲をドンドン、広げることが必要なのです。

現在進行形で生きていて、しかも、昔の古典も新しいものも知っている、というように、両面からやっていくと、勉強は活性化を促します。面白いと思う範囲が広がるし、深くなります。それが、勉強のよさです。

「現代文学」にも触れる

ですから、私は本について古典だけではなく現代、いま活躍されている作家の本も意欲的に読んでいます。学生にお薦めの本を聞いたら、乙一《おついち》さんの『暗いところで待ち合わせ』（幻冬舎）が面白いと教えてもらい早速、読みました。

目の見えない主人公、本間ミチルの家に、殺人容疑で警察に追われてきた大石アキヒロという男が逃げ込んできます。ミチルは数日後に誰かが自分の家にいると確信するのですが、気づかない振りをし、奇妙なふたりの共同生活が始まるというストーリーです。

内側にこもりがちで、他者との距離がうまく取れない主人公が、どのようにして外側の世界に向かっていくのか、それがうまく描かれています。ミステリー風になっていて、実に面白い。すごくよくできています。すると、乙一さんの他の作品も読んでみようかとなります。

さらに、学生からいわれて、中田永一さんの、『百瀬、こっちを向いて。』（祥伝社）という恋愛作品を読んだことがあります。作風が乙一さんに似ているなと思ったら、同一人物だったのです。ペンネームが違っていたと後で、分かったのです。そんな発見もありました。

こうした本は60歳を過ぎた人が読んでもきっと楽しいと思います。何か、気持ちが若くなり、そういう時空を超えた面白さを発見するのも勉強です。

「マンガ」にも学びはある

さらに、マンガの『ピアノの森』（一色まこと・講談社）に私はひどく感動し好きになりました。この作品は映画にもなりました。

森に捨てられてあったピアノを少年、一ノ瀬海《いちのせかい》（通称・カイ）が弾きます。そのピアノで音が出せるのは、そのカイ少年だけなのです。巡り巡って、少年は一流のピアニストになっていくわけです。

この物語には、小学校の音楽教師である阿字野壮介《あじのそうすけ》先生が登場します。この先生は昔、素晴らしいピアニストだったのですが、事故によってピアノが弾けなくなってしまいました。この先生がその森のピアノの持ち主だったのです。紆余曲折を経て、カイの才能を見出した先生は、家庭環境が厳しい中、カイの面倒を見て教えていきます。やがて、ショパン・コンクールで世界に挑戦するまでに成長するのです。

このマンガには、ピアノの聞き方、どんなピアノがいいのか、私たちの知らなかったピアノの世界が広がってきます。ピアノは鍵盤を叩けば音が出るわけですが、微妙な叩き方ですごく表現が違ってくることも分かります。

もちろん、マンガですから音は出ないのですが、なのに、頭の中で音が流れるような錯覚を受けるくらい、不思議なマンガです。このマンガを読むと実際に、ショパンを聴きたくなります。

このようにマンガを読んで知らなかった世界が広がっていくことがあります。『ゴールデンカムイ』（野田サトル・集英社）というマンガを読んでいると、アイヌの文化について知ることができます。明治末期の北海道・樺太を舞台に金塊を探す物語で、アイヌの言葉や基礎知識が1巻、2巻だけでもたくさん出て来て、アイヌ文化に対する理解が深まり、アイヌの自然とともに生きる世界観がよく分かります。

また、手塚治虫さんは素晴らしい教養人です。あらゆるジャンルの小説や、学術書を読み、映画を観て『ブッダ』（潮出版）や『ブラック・ジャック』（秋田書店）などの作品を書きました。

文学や芸術などの文化を手塚治虫さんは自分なりに吸収して、それをマンガという作品に落とし込んでいったのです。特に私が感銘を受けたのは『火の鳥』（小学館クリエイティブ）です。そこには古代知識や未来についてスケールの大きいストーリーが展開され目を見張りました。『火の鳥』を読むと人間に生まれてよかったという思いになるのです。『へうげもの』（山田芳裕・講談社）を読めば、利休の時代がわかります。

このようにマンガはすばらしい文化です。ここから多くのことが学べます。マンガなんてと思わずに、勉強のネットワークを広げてみましょう。

私は「流行っているものはチェックする」という方針なので、『鬼滅《きめつ》の刃《やいば》』（吾峠呼世晴・集英社）も全巻購入しました。そして、「禰豆子《ねずこ》の竹パン」をコンビニで買いました。おかげで、小中学生とも話が合います。

第2章

なぜ人は学ぶのか

1 生きる勇気がみなぎる

関門を突破して人間を鍛える

勉強にはふたつの面があります。ワクワクして楽しいから学ぶという一面と、これだけは身につけなければならないという一面です。後者は、義務と同じで、自分を鞭《むち》打ってでも学ばなければなりません。

そうした義務的要素がまったくなく、物理でも化学でも哲学でも、「なんでこんなに楽しいんだろう」と思う人は、もともと勉強に向いている人です。しかし、たいていの人は、教科書を見ると憂鬱《ゆううつ》になったりします。だからといって好きなことだけを学んでいたのでは、嫌いな分野の体系的な知識は身につきません。しっかりと学ばないと、あいまいな知識やふわふわとした技術しか身につかないということになります。

私の周りにも、なんとなく英語が好きで、なんとなく英会話ができる人がいたので、きっと英語ができる人なのだと思い、一緒に翻訳の仕事をしたところ、翻訳の能力はまったく別のものだと分かりました。翻訳は、英語が好きだからできるものではなく、専門的な訓練が必要だということです。

「好きだ」という気持ちは大事ですが、やるべき義務を遂行するというのも、勉強の大事な要素です。いま、大学はＡＯ入試などの入学方法があり、得意なことを評価する傾向があります。しかし、従来の一般入試にも意義があります。必死に勉強した学生は「好きなことだけをやるのではなく、つらいことも乗り越え、義務を遂行した」という自信に溢れています。そんなふうに、勉強には、義務を遂行する喜びもあるわけです。

さらに、義務を遂行する「勉強力」は、好きではない教科でも勉強することで人間として鍛えられます。じつは、仕事ではそれが大いに生きるのです。どんなに苦手なことでも、この関門を乗り越えなければというときがあります。

受験では苦手科目があっても、その関門を突破しなければなりません。好きも嫌いもなく、やらなければならないからやる。そういうことが、ゆとり教育の時代では減り、その結果として学力低下が起こりました。

好きなことばかりしていられる職業はありません。むしろ、嫌いでも義務だからやることのほうが多いくらいです。勉強力のある人は、「義務だからやる」ことに慣れているので、大した苦も無くできるのです。

イヤだなと思うことでも乗り超え、結果、それが身につくことで自分が伸びる。それが勉強の良さです。そういう意味でも、学校の勉強はすべて価値があるのですが、学校で四苦八苦しながら学んでいるときは、その価値に気づきません。むしろ、面白いから学ぶのではなく、やってみた結果、面白くなるということです。古文などは、いまの時代には意味がないと思うかも知れませんが、読めるようになると面白くなるものです。

学びが多いと前向きになれる

そうすると、徐々に自信が持てるようになります。反対に、学ぶことがイヤで、やる気をなくし、元気もなく何もしていない人に対して、「自信を持て」といっても難しいと思います。

経営のトップとか、起業家には、イキイキしている人が多くいます。もちろん、責任が重くトップにしか分からない苦しみがあると思いますが、そういう人たちは総じて自信に満ちて、明るく、前向きです。それは、どうしてか。学びが多いからです。

さらにトップの方は毎日、貴重な体験をしています。ステップアップすることで新しい経験が生まれ、ワクワクしていきます。

このワクワク感は、新しいものと出会う喜びから出て来るものです。そういう出会いの喜びが、学びの基本にあるわけです。

これはある意味、芸術家的な感性でもあります。芸術家は常に初めて出会ったかのような感動を表現するわけです。フレッシュな感性と魂を育む。それが芸術家であり、学ぶ良さだと思うのです。いつまでも、さびつかなくて新鮮な心を保っている人は60代、70代になっても、学び続けている人です。

学びに前向きという意味では、ノーベル賞を受賞した人はその典型です。受賞後も次のテーマに向かって意欲的に研究している人が多いと聞きます。島津製作所の研究員である田中耕一さんは２００２年、ソフトレーザーによる質量分析技術開発でノーベル化学賞を受賞しました。「多くの人は自分（田中さん自身）のことをノーベル賞を受賞したことで、人生の目標は達成したと思っているようですが、そうではありません」といって、再びすごい研究を始めているのです。一滴の血液からすべての病気が分かるという画期的な医療装置の開発に着手しました。

新しいものにチャレンジしていく。それが、学ぶ人の本当の姿です。チャレンジして冒険する気持ちが、学ぶ一番のいいカタチだと思います。

完全な記憶喪失者の奇跡

チャレンジするという観点から、私の好きな本を紹介します。『記憶喪失になったぼくが見た世界』（坪倉優介著、朝日文庫）という本です。著者の坪倉さんは交通事故ですべての記憶を失ってしまいました。

事故の後、「かあさんが、ぼくのまえになにかをおいた。けむりが、もやもや出てくるのを見て、すぐに中をのぞく、すると光るつぶつぶがいっぱい入っている。きれい。でもこんなきれいな物を、どうすればいいのだろう」というわけです。

そして、「おかあさんが、こうしてたべるのよとおしえてくれる。なにか、すごいことがおこるような気がしてきた。だから、かあさんと同じように、ピカピカ光るつぶつぶを、口の中に入れた。それが舌にあたるといたい。なんだ、いったい。こんな物をどうするんだ」と。まだ、その光るものが何か分からないのです。

「かあさんを見ると笑いながら、こうかみなさいと言って、口を動かす」

噛むということさえ忘れてしまったのです。

「だからぼくもまた、同じように口を動かした。動かせば動かすほど、口の中の小さなつぶつぶも動き出す。そしたら急に、口の中で『じわり』と感じるものがあった。それはすぐに、ひろがる。これはなに」

「そんなぼくを見て、かあさんは『おいしい？』ときいてくる。それもなんのことか、わからなかったので、だまって口を動かしつづけた。

するとかあさんは『もっとたべてみたいかな。もっと口に入ると思えば、おいしいと言って。こんな物口の中に入れたくないと思ったら、まずいと言ってほしい』と言う。

ぼくは口を止めて、『おいしい』と言った。するとかあさんは『そう、ごはんはおいしいんだ』と笑った。そうなのか、あのぴかぴかに光る物のことを『ごはん』というんだ。それに口の中で、こういうふうになることを、『おいしい』というのか」

ごはんを忘れて、おいしいという感覚も忘れている。これが、新鮮な出会いだと思うのです。そしてチョコレートが出てきたのですが、甘いということも忘れてしまったのです。最初、分からずに包みを食べてしまい、おいしくないといったら、おかあさんが、包みを取ってから食べないとダメでしょといわれて、チョコレートを食べた。そうしたら、「おかあさんが『すごくあまいでしょ』ときいてくる」のです。「この味はあまいというのか」と、学びます。

その瞬間から、甘いという味を忘れることができなくなります。それがチョコレート体験でした。

お刺身もそうでした。「おかあさんは、『おかしいなぁ、さしみはだいすきだったんだけどなぁ』と言うけど、（中略）『そういえばしょうゆはつけた』ときいてくる。しょうゆ？だからこんどは、しょうゆとよばれるものをつけた、たべてみた。そしたら、さっきとちがった味がした」「かむ。味がまじって口の中でひろがっていく。かめばかむほど味がこくなって、おいしくなっていく」。

そして、「小さなかたまりをしょうゆの中に入れて、はしでかきまわす。すると、あのかたまりがだんだんなくなっていく。そこには色のかわったしょうゆだけがのこっていた。かあさんは『これにさしみをつけてたべてみなさい』と言う。

すると急に目がひらく！　あたまのよこがガーンとする。さいしょは、びっくりしたけど、おいしい。さしみ、しゅうゆ、わさび。いっしょにたべると、すごくおいしい」と、刺身のおいしさも忘れていたのです。

ある時「人間って何ですかと友だちに聞く。すると面倒くさそうに、あちこちを指さして『あれも人間、おれも人間、こいつも人間、みんな人間。おまえだって同じ人間だ』と言った。同じと言うけれど、何が同じなんだ。ぼくと同じ人間なんて見つけられない」。

「だけど、電車を降りて右や左を見ても、ぼくと同じ人間は、どこにも見つからない」と絶望的になる。

だから、人間とは分からない。全員が違う人だと。人間というのは抽象的な言葉で実は、存在していないものなのかもしれないと思うのです。

ただ坪倉さんは、ほぼすべての記憶が喪失したのですが、絵の才能だけは変わっていなかったのです。何と、絵は完ぺきに描けてしまう。

もともと坪倉さんは芸術系の学校に行っていました。そして着物を染める職人として活躍することになります。

「一枚だけ色が違う葉っぱを見つけた。それがまるで、たくさんの人の中で流されてはみ出していく、今の自分と似ているような気がした。だから染めるときは、集まっている鳥の中で、一羽だけ違う色に染めることにした」。

鳥を描いて染めるなど、不思議と芸術的な才能だけは変わらなかったわけです。

そして、「松竹梅という言葉をテーマにして着物を作ることになった。一枚の着物を、松と竹と梅で染める。（中略）

ところが困ったのは梅だった。何度染めても思いどおりの色が出ない」と悩みます。

そして、「そうなのだ。花を咲かせる前の枝と、咲かせ終わった枝とは、染め上がった色がぜんぜん違うのだ。これか生命の色なんだ。

仕方ない、三月の梅の花を咲かす前の枝を手に入れるために、この着物を染めるのは、もう一年待とう」と。

坪倉さんは「命の色」というものに目覚めるのです。その感性は、事故があっても、色を染める仕事を通じて目覚めていったのです。それで、坪倉さんは真の芸術家になっていくわけです。


新鮮な世界との出会い方をすると、感動があります。

「染め上がりは、優しさが伝わる山吹色になった。黄色でありながらすごく落ち着いていて、鮮やかだけど派手じゃない。うれしかった。それを裏地として使おう。

表面に使う生地は、蓮の葉を連想させるような、ほのかに緑がかった灰色に染まった。すごく落ち着きがあるけど地味じゃない。どんな色の帯にも似合うような色になった。すばらしい。蓮の葉っぱにつつまれてるような着物だ。着る人にも、同じ気持ちで着てほしい」

世界の美しさ、自然の美しさに目覚めて、それを染め物にして、何ともいえない風合いの色にたどり着くわけです。事故で記憶喪失になった人間が新たに学び直す。学び直したことによって、他の人に見えないものが見えてくる。感性だけは失われずに、素晴らしいものになっていく。

勇気を与えられるノンフィクションです。多くの人は知らないかも知れません。こんなすごい、体験をしている人がいるのです。今からでも、遅くありません。学び直そうではありませんか。

世界を見直すと新鮮な感動がある

学びは、世界を新たに見直すことであり、そこには新鮮な感動があります。今まで見えていたものが、違って見えてくるのです。

たとえば、宇宙を見ても、ブラックホール（超強力な重力のため物質や光が脱出できない天体）があり、しかも、目に見えない暗黒のエネルギー、ダークマター（暗黒物質、質量は持つが光学的に観測できない天体とされるが正体は不明）が宇宙の9割以上を占めているといわれています。人類が見ている宇宙は全体の5％ほどに過ぎず、ほとんど見えていない、分かっていないのです。

世界は奥深くて愉快なもの

　こうしたことを知っていると宇宙の見方は変わってきます。学んだ人ほど、不思議な世界が見えてくるのです。世界は深く、楽しいものなのだ、と思えるのが学びです。

　そもそも私は「自分に価値があるのか否か」という問いは無意味で危険だと思っています。置かれている環境によって考え方は違ってくるでしょう。たとえば、会社でリストラにあえば、「自分には価値がない」ということなのかと、落ち込みます。でも、そんなことはありません。

　学びが多ければ、この世界は楽しく、愉快なものであると思えてきます。その世界は奥深いため、一生かかっても見極めることは不可能でしょう。それを知ると、自分に価値があるのか否かという問いかけが、いかにつまらないものか分かってきます。

　世阿弥（１３６３年～１４４３年、日本の室町時代の大和申楽結崎座の申楽師で、現在の能の祖形と言われている申楽を大成した）が、「能は一生かかっても味わい尽くすことはできないかも知れない」と。そして「命には果てがあるかも知れないが、能には果てがない」といっています。それと同じように、この世界には、味わい尽くすことができないほど豊かなものが存在するのです。

世界がこんな面白いもの、好きなものに溢れている。自分はたくさんのことに興味あると思えた瞬間、この世界で生きる価値が生まれ、自分を肯定することになります。自分に価値があるとか、ないとかの問いを立てる必要はなく、この世界で生きている自分を喜ぶのが重要です。「この世界は生きる価値がある」のです。

私はこんな世界に生まれてきたわけではないと、思う人がいるかもしれません。こういう人にはもっと、学んで世界を知ってほしいと思います。この世界は学ぶ価値があります。

自分の好きなことをノートに書く

私は学生たちに、「自分の好きなことをノートに書いてみよう」と指導します。すると、他人にたとえ変な趣味だといわれても、「これだけは絶対に好き」というものが出て来ます。そして、書いている最中にこれも好きだった、あれも好きだったと思い出してくるのです。そうすると、自分はこの世界で生きていく価値があると思えてきます。

そうしたら、何かイヤなことがあっても、こんなに好きなものがあるのだから、そんなつまらないもの（イヤなこと）は流せばいいと思えるのです。好きな世界でもっと楽しく生きていこうと、力強く生きていけるのです。

今はイヤな社会なのか

「この世界は何かイヤだ」とか、「変な社会だよね」というけど、本当にイヤな社会なのでしょうか。昔に比べると、今の日本社会は相当、恵まれていると思います。たとえば、戦前まで女性は選挙権を持っていませんでした。女性に参政権が認められたのは終戦直後の1946年からです。明治維新から長い間、女性は政治に参加できなかったのです。

また、昭和を懐かしいと思っている人がいるかもしれません。しかし、昭和の時代は大変でした。犯罪が多く、暴力事件も頻繁にあり、治安は悪かったわけです。生活面では、水洗でないためにトイレが臭くて、道端で立小便をしていた時代です。今、立小便されたら、イヤでしょう。

歴史を振り返ると、「今の時代がやっぱりいいね」となります。今の当たり前を、当たり前と思うなということです。そして、世界を見渡せば、昔はよく虐殺が行われ、理不尽なことで死んだり、食べられなくなって餓死する人はたくさんいました。現在でも、そういう地域、国家がありますが少しずつ良くなってきています。そう考えると、今の社会は、そんなにイヤな社会ではないと思えてきます。

2　偉人を自分の味方につける

偉人が自分の心に根を張る

ある母親が、宮崎駿さんのアニメ『となりのトトロ』『もののけ姫』『魔女の宅急便』を子どもたちが何十回も繰り返し観ています、といったら、宮崎駿さんは「絶対にそんなことをさせていてはいかん。あんなものは一回か二回観れば十分だ」と言ったそうです。

つまり、子どもに同じアニメを繰り返し観させるということは、自分の心の中に多様な森を育てていくことが難しくなる虞《おそれ》があるからだと思います。

自分の心の中にどれだけの、森ができているのか。具体的にいうと、どれだけの他者という「樹木」を自分の心に植え込んでいるかが大切なのです。自分の中に住み込んでいる他者が偉大な先人であれば、豊かな心の森ができます。

偉大な先人について、ちょっと名前を知っているとか、多少知識があるというだけでは、心に住んでいるとはいえません。学ぶとは心に根が張って住み込む感じです。

たとえば、音楽をやっている人がショパンの曲が弾けるということは、その演奏者の体の中にショパンが息づいていることになります。それが、どんなに豊かなことか。ショパンの音楽的な感性をなぞり、ショパンは何を考え、何を感じていたか、楽譜を通して、自分の指を通して、体を通して感じるわけです。

ただ、ショパンが自分の心に入っていくためには猛烈な練習が必要です。練習を重ねた結果、ショパンが自分自身の一部になっていきます。

ショパンの魂をどのように感じるのかをテーマにしたマンガ『ピアノの森』は先ほど紹介しました。それを読むとショパンの音楽に込めた思いが分かってきます。学ぶ気持ちがないとショパンを聞いても「こんなものか」となってしまうでしょう。

何が起こっても怖くない

本を読む場合も、同じです。読んでその著者である偉人の思いを考えたりすることで、自分の一部になっていきます。学びや、勉強が、自分を豊かにしてくれます。心の中に豊かな森を作り、それを育てていく。そうすると、ソクラテスや孔子、ブッダなどの偉人たちが常に自分の味方になってくれます。森が大きければ大きいほど、大勢の味方が自分を支えてくれます。そうすると、たとえ何かが起こっても少しも怖くありません。

たとえば、日常生活でイヤなことがあったとき、キリスト教徒なら『聖書』を開くでしょう。すると、まさに今悩んでいる自分のことが書いてある一節が見つかります。一方、『論語』を読んでいる人ならば、今の自分が置かれている状況から視点をずらして、自分を見つめ直すことができるのです。

『論語』を読むと孔子の時代にも他人に理解されず、悩んだ人がいたことが分かります。「人に理解されることを望むより、まずは自分が人を理解しているかどうかを考えなさい」と孔子はいっています。

そのように、理解について孔子の考え方が分かれば、自分の心の支えになってくれます。孔子がいっているとなると、普遍的な感じがして、精神的に強力な援軍を得た感じで、心が安定するのです。しかし、『論語』や『聖書』など古典をまったく知らない人は自分の心の状態を、自らが見極めて適切に処理しなければなりません。弱っている心を弱い自分ひとりでどのようにケアをするのか。結構、きついと思います。

人間が薄っぺらになっている

『論語』やソクラテスなど、多種多様な一般常識を身につけていれば、人生で大切な判断を迫られたとき、きっと役立つはずです。

たとえば、世話になった人に義理を欠く行為をしそうになった時、シェークスピアの『マクベス』を読んでいたなら、王を殺して自分が王になったとしてもマクベスは、その王の亡霊に悩まされて滅びていったことを思い出すでしょう。

一般常識のある人は、古典を生かして判断をするのです。

しかし、私が心配しているのは今の人間が本を読まずドンドン浅く、薄っぺらになって来たことです。多くの日本人の呼吸が浅くなっているような気がするのです。たとえば、すぐに見返りが得られる勉強しかしなくなっているのではないかと思うのです。

福沢諭吉は蘭学を学び始めたころ「学んだとしても（おカネを取って誰かに教えることは期待できないから）一銭にもならない」と思ったそうです。しかし、こんな難しい本を読むのは我々だけだろうから、読んでやろう、難しければ難しいほど面白いと考えました。

学ぶのが面白いから学ぶ。諭吉は見返りを求めない学びに没頭したときが、自分を育ててくれたと語っています。

これに対して、見返りをすぐに求める現代の学びは、人間を薄っぺらなものにしているのです。

本当は取るに足らない悩み

生活のテンポが速くなるにつれて、人の受けるストレスは増幅する一方です。生きる呼吸が浅くては、そのストレスに対応しきれません。だからこそ、生きる呼吸を深くする学びが重要なのです。

学ぶことは、まさに「呼吸」することです。呼吸によって新鮮な酸素を取り込むと、体に新たな活力がもたらされます。読書は、いわば「知の呼吸」です。学びは新たな自分を形づくるのです。

人は誰でも小さいことにくよくよして、他人を憎んだり、恨んだり、妬《ねた》んだりしながら生きています。一番、いけないのは、そうした悩みや不安が自分の心の中で肥大化してしまうことです。本当は取るに足らない問題なのに、気になってほかのことが手につかない状態になってしまいます。

そうならないためには、「学び」に心を込めて向き合うことです。学んで生きる呼吸を深くすれば、そうした悩みは相対的に小さくなります。上手に学ぶことで、「身近な他者」ではなく、「遠くの偉大な他者」を味方にすることができるのです。

そして、偉人の言葉を引用できるくらいまで学ぶと、自分の背後にその偉人たちが味方として控えているような心強さが得られます。すると、ストレスは少なく何事も落ち着いて冷静に対処できるわけです。

心に奥行きがない若者

最近の若い人のマナーは大変よくなっています。しかし、マナーとは別に、若者に人間的な薄さを感じてしまうのが大きな問題です。若者の心に奥行きがなく、心が折れやすくなっていると感じます。

人間の厚みは、自分の中にどれだけの偉大な他者が住んでいるかで決定されると、私は考えています。

たとえば、シェークスピアをたくさん読んだ人には、シェークスピアがその人の心に住み込んでいます。作品の登場人物が何十人もいる状態となるわけで、それが心の奥行きにつながります。

ドストエフスキーの『罪と罰』に登場するラスコーリニコフは、ハムレットと同じで、悩める人間です。ねじ曲がった自尊心と傲慢さ、欲深さ、あるいは自信のなさといったものが同居して生きています。こうした若者は今でもたくさんいます。

ラスコーリニコフと同じ青年期にこの『罪と罰』を読めば、自分の中に悩めるラスコーリニコフが一生、棲みつきます。そうすると、悩んだ分だけ深さを感じられるのです。

ハムレットやラスコーリニコフをくぐってきた人は、大切な人生問題を一度、深く考えたわけですから、バイトの心配だけをしている若者に比べると、人間に厚みが出て来るわけです。

3 乗り超えられる「死」の恐怖

学ぶと「死」を恐れなくなる

私は学びで、大切なのは「死」を恐れなくなることだと思います。「死」はいつか誰にも訪れるものです。学ぶことで自然と「死」を受け入れることができるようになります。とくに東洋思想を学ぶと、死は自然だということが分かります。

老荘思想（中国の思想で、自然のリズムに合わせて生きる大切さを説く）では生きていることも、死んでいることも同じで、いわば裏表一体、万物斉同《ばんぶつせいどう》（万物は道の観点からすれば、区別はなく同じもの）です。

荘子は妻が死んだ直後には泣いたが、「もともと我々は生命のない所から来て、また形のない状態に帰っていくのだ。春夏秋冬がめぐるのと同じことだ」と思い、泣くことをやめて唄ったといいます。

死をとりたてて恐れることなく、自然体にして死ぬときが来れば死ぬ。そういう意識です。それまでは面白いとか、この食べ物は美味しいとか、こんなところに、こんな美しいものがあったとか、いろいろな気づきを楽しむ。そのような生活をしていくと、心が豊かになります。

学ぶというのは、豊かな森に囲まれて生きる感じです。自分の心に、多様な樹木を育てるようなものです。

不条理の英雄

人生について、悩んだり苦しんだりしているとき、助けになってくれるのが「学び」です。「学び」があると、心を支えてくれます。

私も「学び」から助けてもらったことが多々あります。大学受験の浪人時代、苦しさから私を救ってくれたのが実存主義でした。人間一人ひとりの存在を大事にして、自分を中心に考えるこの主義の根底には「自己責任」があります。

実存主義の代表といえばサルトルですが、その思想が流行《はや》り出したころ注目されたのがカフカやカミュでした。

カミュの『シーシュポスの神話』（新潮文庫）は10ページ程度の短い文章ですが、実存主義を知るにはいい手掛かりとなります。

シーシュポスは神から与えられた刑罰で、山の上に石を持ち上げるのですが、石はすぐに頂上から転がり落ちてしまいます。それでもう一度、頂上まで持ち上げるのですが、また転がり落ちます。

この繰り返しは完全に不条理であり、やっていることすべて価値はゼロです。「虚《むな》しさ」の極みです。しかし、シーシュポスは下山しているときに「じゃあ、もう一度、やってやろうではないか」という気持ちになるのです。

そう決意したシーシュポスは不条理の英雄になる、というのがカミュの思いです。

不条理に屈せずに何度も石を持ち上げる。そして立ち上がる。運命が不条理であるのは誰でも知っていますが、持ち上げた石が転がり落ちたら、もう一度、持ち上げる。自分の意志で再挑戦するとき、その人は不条理に立ち向かう英雄となります。

投げ出された（被投的）世界を運命として自分で受け止め、自分の意志で生をまっとうしよう（投企）とすれば、実存主義的になります。「被投的投企」が実存主義のキーワードです。

実存主義が私を変えてくれた

自分の未来は自分の意志で決める。運命はつねに不条理であって、いろいろなことが起こります。

浪人中の私もそう感じました。浪人中は勉強しても、将来が見通せず、入試に落ちたらどうしようという不安だけでした。

そんなときに、実存主義の本を読んだのです。

「今の私は浪人中で、宙ぶらりんの状態だけど、自分の意志で大学を受けるのであれば、最終的に落ちたとしても、それは自分の責任だ。すべては自分が選ぶのだ。運命は不条理だけど、人生の選択はできる」と、考えたら、受かっても落ちてもいいのだと思えるような精神状態に至ったのです。そうしたら、非常に晴れ晴れとした気分になれました。

こうした思いや、体験を、次の世代に伝えていくことも大切です。これができると自分の命が「死」につながることも納得ができます。

アリストテレスは世界のあらゆる現象を説明しようとしました。しかし、ソクラテスは最後まで「倫理的な問い」にしか興味を示しませんでした。この倫理的な問いとは、「人間はいかに生きるべきか」というものです。そこで、ソクラテスは「正義とは何か」を考えていくのでした。

「いかに生きるべきか」という問いには「よりよい生き方をする」という答えがあり、「よりよい」の中に「正義」が入って来るからです。だから、ソクラテスは「正義とは何か」を問い続けたわけです。そして「善く生きる」という思いにソクラテスは達したのです。

ソクラテスの死

「いかに生きるべきか」という問いに向かい合ったとき、さらに突き当たるのは人間の「生死」問題です。

プラトンがソクラテスの最期を描いた『ソクラテスの弁明』や『パイドン』の中に、ソクラテスが死を選んだ理由について書かれています。

ソクラテスはソフィスト（「知恵のある者」の意味で、市民に弁論術などを教えて報酬を受けていたが、詭弁《きべん》に陥ることが多かった）たちから恨みを買い、あらぬ罪を着せられて死刑をいい渡されます。それでもソクラテスは「悪法も法なり」と受け止め自ら死を選びました。

そして、弟子たちに「そもそもなぜ死を恐れなくてはいけないのか」という問いかけを残します。実は、ソクラテスを訴えたソフィストの人びとは、ソクラテスを殺したいと思ったわけではありません。

それにもかかわらず、ソクラテスは彼らを怒らせるようなことばかりをいい、むしろ、自らが死刑に持っていくように仕向けたのです。国外に逃げるように弟子たちが促《うなが》しても、逃げませんでした。

「知を愛する者は死を恐れない」（『パイドン』）と。では、なぜ知を愛する者は死を恐れないのか。次のようにソクラテスは語っています。

「すなわち、本当に哲学のうちで人生を過ごしてきた人（＝知を愛する人生を過ごしてきた人／著者注）は、死に臨んで恐れを抱くことなく、死んだ後にはあの世で最大の善を得るだろうとの希望に燃えているのだが、それは僕には当然のことのように思えるのだ」と。

肉体の快楽が智を遅らせる

ソクラテスの時代には「死とは魂と肉体が分離することである」と考えられてきました。

私たち現代人には、魂というものの存在が当時の人ほどリアルではありません。死んだ後も魂が生き続けるという「魂の永続性」を信じる人と信じない人がいます。しかし、古代ギリシャでは、霊魂は不滅であると考えられていたのです。

「知を愛する者」の目標は魂そのものになることです。肉体は、「知を愛する者」にとっての足かせになり、智を誤らせるものと捉えていました。

たとえば、性欲が強くて快楽を求める欲望にまみれてしまう人。あるいは食欲に負けて、おいしいものを食べ続けてしまう人。そうした肉体的快楽が、智を遅らせる要因のひとつとして挙げられていたのです。

肉体が智を遅らせる要因にはもうひとつあります。それは感覚の部分です。

誰でも「こう見えたが実際は違った」というような錯覚をおぼえることがあります。触覚においても、視覚においても、嗅覚においても、感覚というものはちょっとしたことで曖昧になってしまいます。

しかも、感覚は人それぞれに違います。だから、感覚は真理を明らかにすることの邪魔になるものだと考えられていたのです。

「感覚は理性によってコントロールされるもので、感覚によって真理が捉えられることはない。真理は理性の働きよってつかむものだ」というわけです。

死によって解放される

このように、肉体は欲望と感覚の両面から智を誤らせるものと考えられていたため、「智を愛する者」にとって死は魂を肉体から切り離すものであるから怖くないのです。

ここで『パイドン』（岩波文庫）から少し引用しましょう。

「それなら、浄化（カタルシス）とは、（中略）魂を肉体からできるだけ切り離すこと、そして、魂を肉体のあらゆる部分から自分自身へと取り集め、自分自身として凝集するように習慣づけること、現在においても将来においても、足枷《あしかせ》のごときものである肉体から解放されて、魂ができるだけ自分自身だけで単独に生きていけるように習慣づけることではなかろうか」

ソクラテスのいう「自分自身として凝集するように習慣づける」というのは少し難しい言葉ですが、魂が自分になる動きのことをいいます。魂がギュッと集まった状態の自分という感じといえばよいでしょうか。

そして、「死」とは魂が肉体という足かせから離れていくことだと捉えられています。

ただし、単に死ねばいいということではありません。知を愛する態度を取り続けて初めて、魂が浄化されるというのです。

輪廻《りんね》思考と魂の浄化

この考え方には輪廻思考とのつながりが若干、あります。

輪廻思考はインドに伝わるもので、肉体が失われても魂は輪廻を繰り返すという考え方です。しかし、輪廻は永遠に続くわけではありません。

ある人生を十全に生き、悟りを得る。解脱《げだつ》とはそういうことですが、解脱した時点で輪廻は止まるのです。

古代ギリシャにおける死生観にもこれと似たところがあります。哲学をする、つまり知を愛する態度を取り続けることによって、魂がカタルシスを得る（浄化される）と考えられていたのです。

その時代では、死によってただ単に魂が肉体から独立すればよいというのではなく、カタルシスを得ることが重要でした。だから、生きている間でも、できるだけ肉体から魂を独立させるような動きが重視されてきました。理性が魂を完全にコントロールできるようにするわけです。

「知を愛する者」は死を恐れない生き方をする

この考え方は禁欲的な感じでもあります。酒を飲んだり少年愛を楽しんだりと、自由に振る舞っているソクラテスが描かれている『饗宴《きょうえん》』とは対照的に、『パイドン』の中では、比較的禁欲的なソクラテスが描かれています。

そんなソクラテスが弟子たちに教えたのは、議論におけるフェアプレイの精神です。

「自分は知っていると、ごまかすな」

「知らないことは『知らない』とちゃんといい、ここまでわかっているが、それ以上はわからないということをハッキリさせなさい」(「無知の知」という哲学の概念)

そんな態度の重要性をソクラテスは自分自身を鏡として教え続けたのです。

「知を愛する者」は死をも恐れない生き方をする。だから、余裕を持って自分で毒を飲むのです。

そして、ソクラテスは歩き回ると毒が早く効くというので、歩き回った後、横になって死を迎えます。

人間にとって一番の不安の根源は「死」です。そんな人類最大の不安をソクラテスは自ら克服して見せたのでした。

4 孤独からの逃避

学ぶ自分を肯定する

本当の学びや勉強は、すればするほど「知を愛する者」となり、安らぎが得られるものです。

そうすると、気持ちが豊かになり、ますます元気になっていく。もちろん、暗いものを読み、落ち込むような作品に接し、共感してもいいと思います。そういうものも学びだからです。そうしたものも含めて多様なものをインプットして、学び続けてほしいと願ってやみません。

現代は生きる目的が見つけにくく、死にたい気持ちがいろいろな形で襲ってくる時代です。そんな中にあっても、どんな人でも、学んでいる自分は好きでいられるはず。だから、「学ぶ」ことによって自分を愛することができます。

つまり、「自己肯定」ができるのです。それは、アイデンティティがあることでもあります。アイデンティティは自分自身の内的一貫性を感じることと同時に、他者と大事な部分を共有していることも意味します。

たとえば、ある人が「自分は侍である」といえば、かつての侍と本質的な部分を共有していることになります。同様に「自分は高杉晋作である」といった場合、高杉晋作と本質的な部分を共有しているわけです。しかも、それには自分自身の中で、高杉晋作的なものを大事にして生きているという側面があります。

このように自分自身に一貫性を感じつつ、他者と大事な部分を共有していると感じる。このふたつの感覚がセットになったものこそ、アイデンティティであり、「存在証明」なのです。それがあることによって、自己肯定感が生じてくるので、自殺しにくくなったり、他者に対しても余裕を持てたりします。

学ぶか否かが分かれ目

福沢諭吉が『学問のすゝめ』を出版したときに、日本中で知らない人がいないくらいのベストセラーになりました。

「天は人の上に人を造らず人の下に人を造らず」という書き出しが有名ですが、これは「天は人の上に人を造らず人の下に人を造らずと云《い》えり」が正しく、啓蒙思想を述べたに過ぎません。本当はその後に続く、「人間の賢愚の別は、学ぶか学ばないかによってできる」という言葉のほうが重要です。

つまり、「『天は人の上に人を造らず、人の下に人を造らず』といわれていますが、実際には貴賤の別がありますよね。この人間の貴賤の別は、学ぶか学ばないかによってできるのです」というのが、『学問のすゝめ』の趣旨です。

諭吉の名言として後世に伝えるのなら、「賢人と愚人との別は学ぶと学ばざるとによりてできるものなり」のほうが彼らしくていいと、私は思います。

「実際には、世の中はすべてが平等なわけではない」という現実的な見方が諭吉にはあるのです。

ただし、門閥制度を憎む諭吉には、「貴賤が生まれつきの門閥によって決まるのでは駄目だ。学ぶか学ばないかの違いでそれが決まる社会をつくろう」という思いがありました。そこで、そんな新しい平等な社会を先取りした姿を、『学問のすゝめ』の初編に書いて提案したのです。

明治初期のころですから、そんな社会が簡単に実現するとも思えなかったでしょう。それにもかかわらず、諭吉は「賢人と愚人との別は学ぶと学ばざるとによりてできるものなり」と断定的に書きました。

そうした書き方をしたからこそ、読んだ人は「平等な社会とはそういうものなのだ」と思い、そこから学びの機運が盛り上がったのです。

就活は個性ではなく修正力が大切

私は就職活動をテーマに学生たちと話をすることがあります。そこでよくいうのが、採用担当者は「この人とならやっていける」と直感的に思った人を採用して、逆に「何となく」ひっかかる人は、避けてしまうということです。

これは、「何となく」という曖昧《あいまい》さが良いとか悪いとかの話ではありません。採用担当者に蓄積された膨大な量の経験知を踏まえた直感こそが、実は人事における非常に重要な要素であるということです。採用されるか、されないかは、担当者の「何となく」で決まってしまいます。

それは、突き詰めると、入社希望の学生が広く他者とコミュニケーションを図ることができ、そこから自分を修正する柔軟性を持っているか、ということです。つまり、「自己修正力」を持っているか否かが問われているのだと思います。

よく、画一性は批判され、個性が大切だといわれています。

しかし、問題なのは個性か画一性かではなく、自己修正力を身につけているかどうか。誰もが自己修正力を身につけているならば、結果として全員がより高い段階にいけます。そうなることが他者からは個性的に見えるのです。

サッカーのスペインリーグで活躍している久保建英《たけふさ》選手（レアル・マドリード所属）は、FC東京やマジョルカというチームでレギュラーになれていなかった時、何を求められているかをコーチ陣に質問し続けたそうです。そして自分で修正し、レギュラーを勝ち取っていきました。

つまり、自分をドンドン修正していくことが何より大切です。修正した結果、違うものに仕上がる。それが個性になるのではないでしょうか。

学びは現実社会と折り合いをつけること

学んで修正しても、気質はそんなに変わりません。たとえば、せっかちな気質は仕事に生かせば、敏速であることになります。悪いほうにいけばキレやすいことになります。だから、良いほうに修正していくのです。

つまり、学びは、現実社会と折り合いをつけ、修正していくことです。現実社会で「学ぶ力がない」といわれる人は、「次にこう変えなければならないんだ」と思わないし、修正もしないため、同じ過ちを繰り返すのです。

「過ちを改めないことを過ちという」と孔子はいっているように、一回の過ちは誰にでもあります。過ちを改めないことが本当の過ちになるので、その過ちを修正する態度を持つ。それも学ぶことの大事な一面です。

そして、自己修正できる人は周囲から、慕われて、孤立することはありません。コミュニケーションを高めながら、人格を磨き上げることが可能です。それが、「学び」の基本です。力強く生きていきましょう。

いと思った大谷翔平選手も日本の野球を馬鹿にしているわけではなく、よりレベルの高い環境で自分の力を試してみたいという向上心があるということです。

【里仁第四　8】

子曰く、

「朝《あした》に道を聞かば、夕べに死すとも可《か》なり」

《現代語訳》先生がいわれた。「朝に正しく生きる道が聞けたら、その日の晩に死んでもかまわない」

この言葉からは、「その日の晩に死んでもいい」という覚悟ができるくらい、正しく生きる道を知りたいという孔子の思いの強さが見てとれます。

【為政第二　11】

子曰く、

「故《ふる》きを温《たず》ねて新しきを知る、以《も》って師と為《な》るべし」

《現代語訳》 先生はいわれた。「古きよきことをわきまえ、新しいもののよさもわかる。そんな人は師となれる」

四文字熟語でも有名な「温故知新」（故《ふる》きを温《たず》ねて新しきを知る）には、ふたつの意味があり、ひとつは、「古いことを学んでいる中に新しいことを発見する」という意味です。昔のものを見ているうちに、「この人たちはこういうことを考えていたのか」という新発見をするということです。そして、もうひとつには、「古きよきことをわきまえ、新しいもののよさもわかる」という意味もあります。

【為政第二 15】

子曰く、
「学んで思わざれば則《すなわ》ち罔《くら》し。思うて学ばざれば則ち殆《あやう》し」

《現代語訳》 先生はいわれた。「外から学んでも自分で考えなければ、ものごとは本当にわからない。自分でいくら考えていても外から学ばなければ、独断的になって謬《あやま》る危険がある」

「学ぶ」というのは、どちらかというと先人のいったことを読んだり聞いたりして、きちんと身につけることです。一方、「思う」は、自分で考えることです。いまの時代は、「思考力が大事だから自分で考えろ」とよくいいますが、「自分で考えても、学ばなければ危うい」とも孔子はいいます。学ぶことと自分で考えることの両方が必要であると説いているわけです。学ぶというのは、当然ながら他の人から学ぶわけです。思考は自分独りでもできるかも知れませんが、基本的には、学ぶことあっての思考です。

【為政第二　17】
「由《ゆう》、汝《なんじ》に之《これ》を知ることを誨《おし》えん乎《か》。之を知るを之を知ると為し、知らざるを知らずと為す。是れ知る也《なり》」

《現代語訳》「由（子路）よ、お前に、『知っている』というのはどういうことかを教えよう。はっきりわかっていることだけを『知っている』こととし、よく知らないことは『知らない』こととする。このように、『知っていること』と『知らないこと』の間に明確な境界線を引ければ、本当に知っているといえる」

たとえば、「ここまでは分かっている」というところと、「ここから先は分からない」というところで明確に線引きをするのが科学や学問です。「知っている」と思っていても、実はあまり知らなかったというのでは、知っていることにはならないわけです。テストがあったときに、「どうだった？　今日のテストはできた？」と聞いて、「だいたいできた」と答える学生の点数はよくないことがあります。「これとこれだけは分からなかった」とはっきりいえる学生のほうが、しっかり点数が取れていることが多い。そのように、わかっていることとわかっていないことの境界線が明確であることが、「知る」ことであるわけです。ですから、分かっていないことを「知っている」というのは、知っていることにならないのです。

これは、ソクラテス哲学の基本の概念である「無知の知」（「知らないことを自覚する」）に通じるところがあります。「私は、自分が知らないということを分かっている。そこが、知恵ある者といわれる他の人とは違うところだ。だから私は、その人よりは知恵がある」とソクラテスが語ったことが、プラトンの『ソクラテスの弁明』に記されています。

このソクラテスの気づきは、簡単にいうと、「みんな知らないのに、それに気づかず、知っているつもりで喋《しゃべ》っているんだなぁ」ということです。

【子張第十九　6】

子夏曰《しか》く、

「博《ひろ》く学びて篤《あつ》く志し、切《たしか》に問いて近く思う。仁其《じんそ》の中《うち》に在《あ》り」

《現代語訳》子夏がいった。「博く学んで、志を篤く持ち、自分に切実なことを師友に問い、自分の身にひきつけて考えるならば、仁の徳はそうした姿勢のうちに自ずから生まれるものだ」

子夏は、孔子の門人のひとりで、とても学問好きな人物として知られています。「これを知りたいと、一生懸命に問いかける姿勢のうちに、『仁』が生まれるのだ」と、子夏はいっているのです。

「仁」というのは、「まごころ＝誠実さ」です。人に対して誠実であるだけでなく、学び続ける向上心があって、そこに「仁」があると説いています。ですから、「仁」というのは、単に「やさしい」とか「親切だ」というのとは違うと考えるべきでしょう。人柄が良くても、学び続けていなければ、その人には「仁」があるとまではいえないということです。

【子張第十九　5】

子夏曰く、

「日《ひ》に其《そ》の亡《な》き所を知り、月《つき》に其の能《よ》くする所を忘《わす》る無きは、学を好むと謂《い》うべきのみ」

《現代語訳》　子夏がいった。「毎日、自分の知らなかったことを新たに知るようにし、毎月、自分が覚えていること、できていることを復習して忘れないようにする。これなら学を好むといえる」

この言葉からわかるのは、学ぶということは毎日することであって、復習は毎月するものです。昔の人は、そんな言葉を毎日のように素読して覚えているのですから、どうしてもまじめに勉強するようになっていくわけです。孔子やその門人たちの中で「学ぶ」ということは人生の軸であり、生きる推進力になっています。そうなれば、道を踏み外さないでいられるのです。

【里仁第四　17】

子曰く、
「賢《けん》を見ては斉《ひと》しからんことを思い、不賢《ふけん》を見ては、内《うち》に自ら省りみる也」

《現代語訳》 先生がいわれた。「賢明な人を見れば同じになろうと思い、賢明でない人を見れば、自分もそうではなかろうかと省みることだ」

「学ぶ」ということを人生の軸にしておくと、前向きな気持ちでいられるので、否定的なことを考えずに済むという利点もあります。ですから、愚痴や文句ばかりいって気分が塞《ふさ》いでくる傾向のある人は、学ぶことを習慣にするといいのです。新しいことを学んで楽しくなると、愚痴をいいたい気分もだんだん消えていきます。誰にでも愚痴りたいようなときがありますが、「今日はこれを学んでいるんだ」という前向きな姿勢でいると、気分が落ち込まずに上向いてきます。

学ぶ方法のひとつとしては、本を読んで学ぶだけではなく、「人を見て学ぶ」というやり方もあると、孔子はいっています。

【述而第七　21】

子曰く、

「三人行《あゆ》めば、必ず我が師有《あ》り。其《そ》の善き者を択《えら》んで之《こ》れに従う。其の善からざる者にして之を改《あらた》む」

《現代語訳》　先生がいわれた。「私は3人で行動したら、必ずそこに自分の師を見つける。他のふたりのうち、ひとりが善い者で、もうひとりが悪い者だとすると、善い者からはその善いところをならい、悪い者についてはその悪いところが自分にはないか反省して修正する」

前述したように、「人を見て学ぶ」というやり方をするなら、自分を含めて3人いれば必ず先生はいるものです。自分より優れている人を手本にし、優れていない人と同じことをしないようにするのです。会社やグループに所属していて、自分の周りにはレベルの高い人はいないと思うことがあるかも知れませんが、レベルの低い人の行いからも、自分がしてはいけないことを学ぶことができます。つまり、「どこにいても先生はいる。自分以外はみな先生だ」ということです。

『宮本武蔵』で有名な作家・吉川英治は、「我以外皆我師」という言葉を残しています。

【述而第七　5】

子曰く、

「甚《はなは》だしいかな、吾《わ》が衰《おとろ》えたるや。久しいかな、吾《わ》れ復《また》夢に周公《しゅうこう》を見ず」

《現代語訳》　先生がいわれた。「ひどいものだね、私の気力の衰えも。もう長い間、夢で周公を見なくなった」

周公は、孔子が敬愛する賢人で、周王朝の創始者である武王の弟、魯《ろ》の国を開いた人だといわれています。孔子はそんな周公に憧れるあまり、若い頃は夢にまで見ていたのでしょう。しかし、もう夢に見なくなってしまったと嘆いています。

そんなエピソードからも感じられるように、孔子の良さは、一生懸命に学ぶ人であると同時に、人間的には幅が広く、ゆったりと鷹揚《おうよう》な感じがするところにあります。人格が陶《とう》冶《や》されているのです。

勉強はたくさんしているけれど、人格が少しおかしいというのでは困りますから、孔子のように、学べば学ぶほど柔らかくなっていきたいものです。

【衛霊公第十五　16】

子曰く、

「之《こ》れを如何《いかん》、之れを如何と曰《い》わざる者は、吾《わ》れ之れを如何ともする末《な》きのみ」

《現代語訳》　先生がいわれた。「『これをどうしたらよいか、これをどうしたらよいか』と懸命に考えない者は、私にもどうすることもできない」

自分で何とかしたいと思う人が、学ぼうという姿勢のある人であり、そういう姿勢のある人にはアドバイスもできます。学ぶ気もない人に教えてもしかたないということです。

【述而第七　8】

子曰く、

「憤《ふん》せずんば啓《けい》せず。悱《ひ》せずんば発《はっ》せず。一隅《いちぐう》を挙げて三隅を以《も》って反《かえ》らざれば、則《すなわ》ち復《また》せざる也」

《現代語訳》　先生がいわれた。「分かりたいのに分からず身もだえしているようでなければ、指導はしない。いいたくてもうまくいえず、もごもごしているのでなければ、はっきりいえるように指導はしない。一隅を示したら、他の三隅を推測してわかるようでなければ、もう一度教えることはしない」

この言葉は、簡単にいうと、「自ら求めない者に教えてもしょうがない」ということです。ちなみに、この言葉にある「啓せず」と「発せず」の2文字を併せて「啓発」という熟語になります。よく「啓発本」などといいますが、「啓発」は、孔子のこの言葉から来ているのです。

後半の「一隅を挙げて三隅を以って反らざれば、則ち復せざる也」にある「一隅」というのは、四隅のあるもののひとつの隅です。たとえば、テーブルの角がそうであり、ひとつの隅を見れば他の3つの隅の形を想像することができるはずです。自分で積極的に類推してわかろうとする気持ちがない者は、まだ教わる水準になっていないので、教えないということです。そのように、孔子は学ぶ姿勢に対して厳しいところがあります。

【述而第七　13】

次は、孔子が斉《せい》の国に滞在していた時のエピソードとして記録されている言葉です。

子《し》、斉《せい》に在《あ》りて韶《しょう》を聞く。三月、肉の味わいを知らず。曰く、「図《はか》らざりき、楽《がく》を為すことの斯《ここ》に至《いた》るや」

《現代語訳》　先生が斉に滞在中、韶《しょう》というすばらしい音楽を初めて聞き習う機会を得られた。あまりの素晴らしさに感動し、三月《みつき》の間、この音楽に身も心も奪われ、肉の味のおいしさにも気づかれないほどであった。先生はこういわれた。「舜《しゅん》の音楽（韶）はきっとすばらしいだろうと思ってはいたが、まさかここまで美を尽くし善を尽くしたすばらしいものとは思いもよらなかった」

きっと孔子は肉が好きだったのだと思いますが、その肉の味もよくわからないほどに音楽が素晴らしく、感動したのです。そうしてみると、孔子はかなりの年齢になっても音楽に感動する柔らかい心を持っていたということです。そこが孔子のいいところです。「寝食を忘れる」という言葉がありますが、とくに私は、「大好きな肉の味もわからない」という表現が面白くて気に入っています。

【述而第七　16】

子曰く、

「我れに数年を加え、五十にして亦た以《まも》って学べば、以って大いなる過《あや》まち無かる可《べ》し」

《現代語訳》先生がいわれた。「私にもしあと数年の命が与えられ、五十歳でまた学ぶことができるなら、大きな過ちをしないようになるであろう」

これは、何歳になっても学ぶという姿勢でもありますし、葛飾北斎を思い起こさせる言葉でもあります。北斎は、80歳を過ぎても、「もうあと何年かすれば、かなりのところまで行けるのに」と、いっていました。

【述而第七　18】

葉公《しょうこう》、孔子を子路《しろ》に問う。子路対《こた》えず。子曰く、

「女《なんじ》奚《な》んぞ曰《い》わざる、其の人と為《な》りや、憤《いきどお》りを発して食を忘れ、楽《たの》しんで以って憂《うれ》いを忘れ、老いの将《まさ》に至らんとするを知《し》らざるのみと」

《現代語訳》（楚国の長官の）葉公が子路に孔子の人物について尋ねたが、子路は答えなかった。これを知った先生はこういわれた。

「お前はどうしてこういわなかったのか。その人となりは、学問に発憤しては食べることも忘れ、道を楽んで憂いを忘れ、老いてゆくことにさえ気づかないでいる、そんな人物だと」

「道を楽しむ」というのは、生き方を考えて楽しんでいるということ。そうすると、憂いもなくなり、老いることにも気がつかないというのです。これは、とてもよい言葉だと思います。

【述而第七　19】

子曰く、

「我れは生まれながらにして之《こ》れを知る者に非《あら》ず。古《いにしえ》を好《この》み敏《びん》にして以って之れを求むる者なり」

《現代語訳》先生がいわれた。「私は生まれつきものごとの道理をわきまえている者ではない。ただ、古を好んで、ひたすら道理を求めてきた人間だ」

孔子は、自分が生まれつきすぐれているとか、何かをあれこれ知っていると思っているわけではないということです。ただ、古い先人の教えを好み、学び続けているだけだということは、孔子が常にいっていることです。

【述而第七　30】

孔子は、自分が間違っていた時に、その過ちがわかるのはすごく嬉しいということも、よくいっています。

子曰く、

「丘《きゅう》や幸《さいわい》なり。苟《いや》しくも過《あやま》ち有れば、人《ひと》必《かなら》ず之《こ》れを知る」

《現代語訳》　先生がいわれた。「私は幸せ者だ。もし過ちがあれば、誰かがきっと気づいて教えてくれる」

これは、孔子が間違いを指摘された時のエピソードで、「丘」というのは、孔子が自分のことをいうときに、使う名です。

間違いを指摘されると怒り出す人も多いのですが、孔子は逆で、「自分は間違えても教えてくれる人がいるから幸せだ」といっています。学ぶ姿勢が強いと、間違いを指摘されることを喜べるようになるほど柔らかくなるということでしょう。

【泰伯第八 17】

子曰く、

「学ぶは及《およ》ばざるが如くするも、猶《な》お之《こ》れを失《うしな》わんことを恐《おそ》る」

《現代語訳》 先生がいわれた。「学問は、際限なく追い求め、しかも学んだことを忘れないか恐れる、そんな心構えで勉めるものだ」

これが学ぶ姿勢だと孔子はいっているのです。学校では、忘れていないかどうかをチェックするために中間・期末試験テストなどがありますが、大人になると、そういうものがなくなります。孔子の姿勢を自分のものにし、時々、いろいろなことを復習してみるといいと思います。

宗教は「神を信じなさい」「あなたはすでに宇宙と一体化している」などとはいいますが、必ずしも「学べ」とはいってません。一方、孔子の教えである儒教は一般的な宗教ではないので、特定の神は設定せず、学ぶということを軸にして人生を構築します。つまり、「理想を求め、一生、学び続ける姿勢で生きようよ」というのが孔子の主張です。

【子罕第九　4】

子、四《し》を絶《た》つ。意《い》毋《な》く、必《ひつ》毋《な》く、固《こ》毋《な》く、我《が》毋《な》し。

《現代語訳》　先生は次の4つのことを決してしなかった。自分の私意で勝手にやる「意」、なんでもかんでも予め決めた通りにやろうとする「必」、ひとつのことに固執する「固」、利己的になって我を張る「我」。

「意」「必」「固」「我」は、性質の違う頑固さです。それらをしない孔子は、柔軟だということです。こだわりや偏《かたよ》り、囚《とら》われなどなくて柔軟に考えることができるのが孔子のいいところです。それは、学ぶことによって、実は柔らかくなることができるからなのです。

【子罕第九　19】

子曰く、

「譬《たと》えば山を為《つく》るが如《ごと》し。未《い》まだ一簣《いっき》を成《な》さざるも、止《や》むは吾《わ》が止む也。譬えば地を平《たいら》かにするが如し。一簣を覆《おお》うと雖《いえど》も、進むは吾《わ》が往《ゆ》く也」

《現代語訳》　先生がいわれた。「人が成長する道筋は、山を作るようなものだ。あともう一かごの土を運べば完成しそうなのに止めてしまうとすれば、それは自分が止めたのだ。それはまた土地をならすようなものだ。一かごの土を地にまいてならしたとすれば、たった一かごといえど、それは自分が一歩進んだということだ」

これは、練習でも、あともう一回やるかどうか。そこで止めてしまえば、そこまでです。プロレスラーだったアントニオ猪木さんも、「スクワットは非常に厳しいものだ」というようなことをいっています。わりと簡単な運動なので、限界までやっても、もう一回できると考えて、またやるのだそうです。そうやって回数を重ねていきます。

ちなみに、黒柳徹子さんはジャイアント馬場さんと対談した時、スクワットがいいということを教わったそうで、それも、「朝晩必ず１００回ずつやらないといけない。99回ではダメです。毎回100回ずつやれば、次の日も100回ずつできます」といわれたそうです。

それがプロレスラーにもなると、100回どころでは効き目がありません。限界までやっても、どこで止めるか、そこで自分が問われるわけです。そうやって自分と戦うという話を以前、アントニオ猪木さんの本で読んだことがあります。

イチローさんも同じです。イチロー選手はオリックスの仰木《おおぎ》監督に抜擢《ばってき》されて一軍に入り200本安打を打ちましたが、仰木監督はキャンプ中のイチロー選手を見て、「これだけ練習すれば誰でも打てるようになる」といったそうです。あのイチロー選手にして膨大な練習をしてきたのですから、練習や勉強は「質」はもちろん「量」も大事だということでしょう。イチロー選手の小学生のころの作文にも、「自分は365日のうち360日は激しい練習をしています。（略）そんなに練習をやっているのだから、必ずプロ野球選手になれると思います」と書いてあるのです。そのように、練習が後ろ盾になって、自信が生まれ、強い気持ちを持つことができる。ですから、自信がなくて不安になってしまう人は、たくさんの練習量を積んでみるといいでしょう。これだけやってきたんだということで自信が生まれるはずです。

そして、量をたくさんこなすと、いつか質的な変化を起こします。「量質転化」という弁証法的な考え方です。私はそれを、武道を科学として研究している南郷継正さんの『武道とは何か』（三一書房）という本を読んで知りました。その中で、技というものは長い時間をかけて身について自然とできるようになるものだという話があり、それは弁証法的にいうと「量質転化」です。一定量の反復練習をすると、それが質的に転化して、一生使える技となるわけです。

ですから、自分がこうなりたいという像があるなら、そこに向けて練習量をこなし、質的な変化を起こすしかありません。量をこなさずして質だけを変えるというのは、なかなかうまくいきません。素振りを1日10回くらいして一流のバッターになれるはずがないのです。

長嶋茂雄さんが巨人軍の監督だった時に、松井秀喜選手を部屋に呼んで素振りをさせるのですが、その音で素振りの善《よ》し悪しを判断したそうです。長嶋さんには、自分の経験から「この音だ」という基準があり、それが出るまで松井選手に素振りをさせたとのこと。長嶋茂雄さんは選手時代、合宿所で、みんなが眠っている時にひとり起き出して、外で素振りをして戻って来ることがあったというエピソードがあります。

王貞治さんも昔、畳の部屋で、畳がボロボロになるまで素振りをしたという話は有名です。それを教えたのは、現役引退後、巨人軍のコーチを務めた荒川博さんですが、真剣での素振りや合気道の考え方も取り入れて、王貞治さんの一本足打法を生み出したのです。

孔子は、死んだ知識ではなく、活用できる生きた知識でなければならないということもいっています。

【子路第十三　5】

子曰く、

「詩三百《しさんびゃく》を誦《しょう》するも、之《こ》れに授《さず》くるに政《まつりごと》を以ってして、達せず。四方《しほう》に使いして、専《ひと》り対《こと》うること能《あた》わず。多しと雖《いえど》も、亦《ま》た奚《なに》を以って為《な》さん」

《現代語訳》先生がいわれた。「元来、詩は政治にも通じるものだ。しかし、『詩経』の詩を三百篇暗誦していたとしても、内政を担当させても事を達成できず、外交を担当させても相手とわたり合えないのでは、どれほど覚えていても、それは死んだ知識であり、取るに足りない」

孔子は弟子たちにいつも『詩経』の詩を暗唱しなさいといいます。しかし、それをしても政治のことができなければ、だめだともいっています。ですから、ただ暗誦するのではなく、それを応用して自分の仕事に活用できなければいけないということです。ただ知識を丸覚えするのではなく、そのことについて自分の頭で考え、応用できるようにする姿勢が大事だということ。「一を聞けば十を知る」というのは、そういうことでしょう。

【憲問第十四　25】

子曰く、
「古《いにし》えの学ぶ者は己《おのれ》の為にし、今の学ぶ者は人の為にす」

《現代語訳》　先生がいわれた。「昔の学問をする人は、自分の修業のためにしたが、今の時代の学問をする人は、人に知られたいためにする」

「今の時代」といっても2500年も前の人の話です。そして、「昔の学問をする人」というのは、さらに昔のすぐれた人のことをいっています。

学問は自分の修養のためにするものであって、お金を儲けるために学ぶとか、人に褒められるために学ぶものではない。たとえば、学んで東大に入って褒められる、あるいは、東大に入ったらいい給料が貰える会社に就職できる、ということで勉強するのは、本当の勉強ではないということです。受験勉強は、そういう競争の面があるかも知れませんが、本来は、その科目が面白いと思って勉強するものなのです。

また、受験勉強が終わると疲れてしまって、学ぶこと自体を放棄してしまうということがあります。しかし、それは本当の学びではない。むしろ受験勉強が終わって大学に入ったら、自分の本来の学びができるのですから、猛烈に本を読み始めるような人であってほしい。孔子は、そういっているのです。

【衛霊公第十五　3】

子曰く、

「賜《し》や、女《なんじ》は予《わ》れを以って多く学びて之《こ》れを識《しる》す者と為《な》す与《か》」

対《こた》えて曰く、

「然《しか》り。非《ひ》なる与《か》」

曰く、

「非也。予れは一以《いつも》って之れを貫《つらぬ》く」

《現代語訳》　先生が（門弟の）子貢におっしゃいました。「賜（子貢）よ。おまえは私のことを、たくさん学んで覚えている者だと思っているか」

子貢が「その通りでございます。違いますでしょうか」と答えると、先生はこう言われた。「違うよ。私はひとつの道理をもって世のさまざまなことに対する、いわば『一以ってこれを貫く』者だ」

物知りなのではなく、道を求めるという、ひとつのことで貫かれているのが私の特徴なのだ。そんなふうに孔子はいったということです。

いまは、クイズ王とか物知り選手権のようなものがありますが、そうしたものは自己修養とはあまり関係ありません。きっと孔子は、物知り選手権には興味がないでしょう。

【衛霊公第十五　31】

子曰く、

「吾《われ》嘗《か》つて終日《しゅうじつ》食《くら》わず、終夜《しゅうや》寝《い》ねず、以って思う。益《えき》無《な》し。学ぶに如《し》かざる也《なり》」

《現代語訳》　先生がいわれた。「私は以前、一日中食べず、一晩中眠らずに考え続けたことがあったが、無駄だった。書を読み、師に聞いて学ぶほうがいい」

ただ考えることについて、孔子ははっきりと「益無し」といっています。自分は「考えている」と思ったけれど、あまり効果がないからやっぱり本を読んだりして先人の考えを知ることが大事だということです。

【李氏第十六　13】

陳亢《ちんこう》、伯魚《はくぎょ》に問《と》うて曰《い》く、

「子も亦《ま》た異聞《いぶん》有《あ》る乎《か》と」

対《こた》えて曰く、

「未《い》まだし。嘗《か》って独り立《た》てり。鯉趨《りはし》りて庭《にわ》を過《す》ぐ。曰く、詩《し》を学びたる乎《か》と。対《こた》えて曰く、未《い》まだしと。詩を学ばずば、以って言う無しと。鯉退《りしりぞ》いて詩を学ぶ。他日又《たじつまた》独り立てり。鯉趨りて庭を過ぐ。曰く、礼《れい》を学びたる乎と。対えて曰く、未《い》まだしと。礼を学ばずば、以って立つ無しと。鯉退いて礼を学ぶ。斯《こ》の二つの者を聞《き》けりと」

陳亢退《しりぞ》いて喜んで曰く、

「一を問うて三を得たり。詩を聞き、礼を聞き、又《また》君子の其の子を遠《とお》ざくるを聞く也」


《現代語訳》　門弟の陳亢が先生の子である伯魚にこう尋ねたことがあった。「あなたは先生から特別な教えを受けたことがありますか」

伯魚はこう答えた。「いいえ、特にはありません。いつか、父が庭にひとりで立っておりました時、私がそこを小走りで通ると、父が『詩三百篇を学んだか』といいました。私が、『いいえ、まだです』と答えると、父は、『詩を学ばなければ、ちゃんとした発言はできないよ』といいました。私はその後、詩を学びました。また、ある日同じように、庭で私が父のそばを通った時、『礼を学んだか』と聞かれたので、『まだ学んでいません』と答えると、『礼を学ばなければ、世に出てやっていけないよ』と父はいいました。私はその後、礼を学びました。この二つのことを教えられました」

陳亢は、退出すると喜んでいった。「一つを聞いて、三つのことがわかった。詩が大事であること、礼が大事であること、そして、君子（先生）は自分の子を特別あつかいしないということ、を教えられた」

孔子が自身の子である伯魚にいった二つのこと、つまり、「詩」と「礼」のことについては、弟子にいっていることと同じなのです。学問を学ばないと世の中で役に立つこともできないということです。

2　学びの極意を語る

ソクラテスは対話から学ぶ

「学ぶ」ということにおいて孔子は、世界に数ある偉人のなかでも圧倒的な存在感を示しました。一方、哲学者として知られるソクラテスは、知の探究者として問いかけ続け、対話のなかで、「まだこれは確かではない。まだこれも確かではない」と、真理を追究したことで知られています。

ですから、ソクラテスは学ぶというより、問いかける人です。プラトンの著《あら》わした対話篇である『テアイテトス』（岩波文庫）という本を読むと、「自分は物知りなのではなく、産婆なのだ」とソクラテス自身はいっています。

また、次のような言葉もあります。

「僕に向かっては、僕は産婆の倅《せがれ》で、自分も産婆の仕事をする者なんだという考えで向かってきてくれたまえ」「僕の問いには、一生懸命にできるだけ答える努力をしてくれたまえ」

「それで、君の考えていることが偽物か本物かがわかるから」

こんなふうに、自分は何も生み出すものを持っていない、知識などないのだというのが、ソクラテスの持論です。だから、自分に知識を求められても困るというわけです。そういう意味で、物知りを自認する他のソフィストたちとは違います。

また、ソクラテスは、もっとはっきりと、「僕は知恵を産めない者なのだ」ともいっています。

「僕は他人には問いかけるが、自分は、何の知恵もないものだから、何についても何も自分の判断を示さないというのは、いかにも彼らの非難の通りである」。そして「僕自身、ちっとも知恵のある者なんかではない」と。「でも、話していると、相手が気づくことがある」というのです。「話すと、相手が気づく」という不思議な現象が起きるので、自分を「産婆」というのです。

以上のようにソクラテスの場合は、何かから学ぶというより、自分が対話をしながら確かでないものをもっと問い詰めて考え、「自分は何もわかってなかったのだ」ということを知るという学び方をします。

つまりソクラテスは、学問の探究の仕方を示した人なのです。

貧乏は学びの一部

いまの時代は、「貧乏だから勉強ができない」という人もいますが、それと相反して、貧乏と学問はセットだというのが、日本の「公園の父」といわれる林学博士の本多静六です。

本多静六は、「米をつきながらでも学問はできる」といっています。苦学して東大の教授にもなった人ですが、その自伝である『本多静六自伝　体験八十五年』（実業之日本社）のなかに、「貧乏とアルバイト」という項目があり、次のように書いています。

「学生と貧乏は昔からつきものである。貧乏をしなければ本当の学生の味はわからないし、学生の貧乏はむしろ勉強の一部とさえみられるのだ」

「米搗《こめつ》きをしながら勉強した私は、山林学校に入ってからもさらに学資の苦しみがつづいた」

ということで、本多静六は、鉛筆もほとんどなくなるまで筆の軸の先にはめて使ったそうです。

そして、こういっています。

「貧苦は、私にとって鍛錬の父であり、向上の母であったことも忘れ得ないものである」

また、「米搗き学問」という項目には、次のような文章があります。

「最初は文章軌範を片っ端から読み、いつしか米搗きの調子に合わせて、——壬戌《じんじゅつ》の秋ズシン、蘇子客とズシン——という工合で、すこぶる調子がよくなった。いく度も読むうちに読書百遍義自ら通ずで、意味もどうやらわかって面白くなり、夢中になって搗《つ》きすぎるくらい白く搗くようになった。ついには米搗きは静六に限るとまで褒められるに至った。私もまた、本の暗誦には米搗きに限ると心中大いに喜んだものだ。それはあたかも芸者が三味線なしではうまく唄えないと同じ有様で、米搗きの調子に合わせなければ、落ち着いて本が読めないようになってしまった。おかげで四書五経その他の本をすっかり暗記することができた。こうして日中米搗きで暗誦した本を、夜小学校の先生のところで改め

て講釈してもらい、他の人たちが中学に通って勉強する時代を、半年は東京で塾僕的書生をやり、半年は郷里で米搗きをやるという変則的勉強を、十五歳から十八歳まで足かけ四年間続けたのである」

このように、昔の人がやる勉強の工夫は面白いものです。二宮金次郎が薪《まき》を背負って本を読む姿も有名ですが、本多静六の場合は米搗きをしながら四書五経をすべて暗記してしまったというのですから、米搗きのような単純作業も決して無駄ではなかったということです。

そんなふうに自分で工夫した勉強法で独学し、中学や師範学校の卒業生に混じって東京山林学校に入学できた本多静六ですが、代数の成績が悪くて落第してしまいます。

母や兄の苦労も水泡に帰したから、いっそ死んでお詫びしようと考え、真夜中に寄宿舎を抜け出して古井戸に逆さに滑り込もうとするのですが、その途中で、米搗きで鍛えた片手がどうしても、井戸の下側にある井桁《いげた》をつかんで離れなかったといいます。その時、ふと、祖父の顔が浮かび、同時に、上京する際に祖父がいってくれた次の言葉が聞こえてきました。

「塙保己一《はなわほきいち》は盲目でありながら、六百三十巻余の『群書類従』その他を著したのだ、目の二つあるお前が保己一以上の勉強を続けたならば、もっと大きな仕事ができるはずじゃ」

その時、夢中で井戸の中から這い出します。そして、死んだつもりでもう一度やりなおそうと考えると元気が出て、落第のショックから立ち直り、前に進むことができるようになったのです。

さらに1日1ページ分、価値ある文章を、25年間、毎日、「行」として書き続けました。

「この『行』も貯金と同じように、いったん決めたとなると、あくまでも忍耐と継続が大切で、最初のうちはずいぶん苦しかった。しかし、断然やり抜いてしまった。一日七頁といえば、一週間旅行すると七頁分も溜まる。あとの一週間は一日二頁分宛にして取りかえさなければならぬ」

25歳からこの「行」を始めたのですが、そのうち、多忙な時期に備えて予め書き溜めるようになり、それが面白く、1日一ページどころか、1日3ページ分、つまり1年に千ページというのが、いつの間にか新しい取り決めになったといいます。
そして、自分が決めた25年間はとうに過ぎても続けます。次のように書いています。

「八十六のいまもって止まってはいない。おかげで、つまらぬ本も多いながら、各種三百七十余冊の著書を生み出すことができたのである」

パソコンもない時代に、370冊とはすごいものです。

ちなみに、東京山林学校を卒業後、現在の東京大学農学部にあたる東京農林学校で学び、卒業後はドイツに留学。帰国後には母校である東大の教授になりました。林業の先生ですが、投資で莫大な財産を築き、全財産を教育や公共のために匿名で寄付したことで知られています。

挫折しても学び続けるべし

また本居宣長《もとおりのりなが》（江戸時代の国学者、医師）は勉強の神様のような人で、著書の『うひ山ぶみ』は、学問の仕方を初心者に教える本です。

「詮《せん》ずるところ学問は、ただ年月長く倦《う》まずおこたらずして、はげみつとむるぞ肝要にて、学びやうは、いかやうにてもよかるべく、さのみかかはるまじきこと也。いかほど学びかたよくても、怠《おこた》りてつとめざれば、功はなし」（本居宣長『うひ山ぶみ』全訳注、白石良夫訳注、講談社学術文庫）

学び方はどうであってもいいのだけれど、さぼることなく学び続けることが大事なのだ。どんなに学び方がよくても、やめてしまったらダメだ、ということです。

「才のともしきや、学ぶことの晩《おそ》きや、暇《いとま》のなきやによりて、思ひくづをれて止《や》むることなかれ。とてもかくても、つとめだにすれば出来るものと心得べし。すべて思ひくづをるるは、学問に大きにきらふ事ぞかし」

「才能が乏しいとか、学ぶには歳をとっているとか、暇がないなどといって、学ぶのを止めてしまってはいけない。学問は、とにかく努めさえすればできるものと心得なさい。学問には、諦めて挫折することがいけないことだ。ということで、志を高く持ちなさい」と本居宣長はいっています。これは、学びの王道といえるでしょう。

この言葉からもわかる通り、自分は頭が良くないからとか、時間がないからとか、お金がないからとか、もう自分は歳だからなどといっていては学べないので、そういうことは気にしないでどんどん学べばいいのです。

また、「本を読むときに、はじめから片っ端から文の意味をわかろうとするのは無理がある」というようなことを本居宣長は『うひ山ぶみ』のなかでいっています。さらに、「初めからあまり細かい意味を分かろうとしないで、さらさらと読み、大まかな意味をとらえたほうがいい。他の文献を読んでみたらわかったということもあるから」というアドバイスもしてくれています。

実行が伴う学びが大切

学問をするには、先生も大事ですが、仲間も大事です。そのことを松下村塾《しょうかそんじゅく》の例で見てみましょう。

松下村塾は、吉田松陰が叔父の玉木文之進から引き継いだ塾です。松陰が運営した期間は三年弱、あるいは一年余りという説もあるくらいの短さですが、この塾で育った弟子の高杉晋作、久坂玄瑞、伊藤博文、山縣有朋といった長州藩士たちは、後の倒幕、明治維新の立役者となりました。

古川薫の著書である『松下村塾』（講談社学術文庫）に、吉田松陰が残した次のような名言があります。

「妄《みだ》りに人の師となるべからず。又妄りに人を師とすべからず。必ず真に教ゆべきことありて師となり、真に学ぶべきことありて師とすべし」

これは、「師弟のあるべき道を求めるなら、みだりに師となるべきではなく、みだりに弟子となるべきではない。真に教えるべきことがあって師となり、真に学ぶべきことがあって師とするべきだ」という意味になります。

吉田松陰はどこでも講座を開いてしまう人で、4回投獄されていますが、獄舎でもたちどころに先生となって、囚人たちに教えました。しかし、自分を先生とは位置づけません。自分は「同行者」であり、塾は「共学の場」なのです。しかし、もちろん松陰には膨大な読書量があるわけですから、先生は先生です。長州の藩校である明倫館の教授を務めていた学者ですから、すごい人なのですが、自分もともに学ぶという姿勢を忘れませんでした。そこが松下村塾の面白さといえるでしょう。

吉田松陰は入塾希望者と初めて会うときに、「お勉強されられい（勉強したまえ）」という言葉をなげかけます。

そして、何のために学問をするのかを問います。たいていの人は、「書物が読めないので、稽古してよく読めるようになろうと思うんです」などと答えますが、その時、吉田松陰は「学者になってはいかん」といいます。

そして、「人は実行が第一である。書物の如きは、心がけさえすれば実務に服する間には自然に読めるようになる」と教えます。

このように、吉田松陰は塾生に対し、実行することが大事だと教えました。それは、次の言葉にも表われています。

「万巻の書を読むに非《あら》ざるよりはいづくんぞ千秋《せんしゅう》の人たるを得ん。
一己《いっこ》の労を軽んずるに非ざるよりはいづくんぞ兆民の安きを致すを得ん」

これは、「たくさんの本を読破する気力なくして、歴史に名を残すような人になることができようか」「自分がすべきことに努力を惜しんで、世の中の人々の役に立つ人になることはできようか」という意味です。

吉田松陰は、高杉晋作を佐久間象山に紹介する際に、弟子としてではなく友人として紹介しています。たとえば、一緒に泳ぐなど、松下村塾ではみんなでいろいろなことをやっていて楽しい雰囲気でした。

単に勉強するのではなく、志を磨き合う。そんな仲間同士だったのです。そして、皆で議論するというのが、松下村塾の特徴でした。

松下村塾のような私塾は、学問への志を持った人たちが集まるという点で、いい雰囲気があったのだと思います。藩校は正式な学校で、藩の重要な人材を育てる目的を持っており、武士のなかでも身分の高い人たちが通う学校でしたが、私塾にはそういう人でなくても通えるよさがあったのです。

本は読むだけではなく暗唱すべき

勉強し続けると、それ自体が面白くなって、難しいものにチャレンジしたくなります。乗り超えて、また次を乗り超えて、といった具合に前向きになるのです。

ニーチェは「超人」という考え方を提案しました。何かにチャレンジして、人間的なものを乗り超えるのが「超人」です。今の自分を乗り超えていこうという気持ちを持っていたなら、超人的な要素を自分の中に持っているということです。ですから、部活でも、昨日の自分を乗り超える気持ちで毎日やっている中高生がいるとすれば、ニーチェはそういう人たちに対して超人的なものを持っているというでしょう。

ニーチェは、習うことだけでは満足しない人です。著書の『ツァラトゥストラ』(中公文庫、手塚富雄訳)のなかに、次のような言葉があります。

「わたしは読書する怠け者を憎む」

「いっさいの書かれたもののうち、わたしはただ、血をもって書かれたもののみを愛する」

「血と寸鉄の言で書く者は、読まれることを欲しない。そらんじられることを欲する」

このようにニーチェは、本を読むだけでは怠け者だ、暗誦しろ、という厳しいことをいっています。血で書いたようなすごい書物は、覚えられることを望んでいるのだから、ただ読んで勉強しただけでは十分ではない。それがニーチェの考え方です。

さらにニーチェは、最終的に自分の道は自分で見つけるしかない。万人のための道はないと言います。自分で帆を張り、大海原に出て行くような感じです。あるいは、太陽が昇って来て熱をふりまいていく感じで、自分が学んだ知識を他の誰かに受け取ってもらいたいと思うような感じがニーチェにはあります。ミツバチが蜜を集め過ぎて、もらってくれる誰かを欲している、という譬《たと》えも用いています。そんなふうに、貰い手が必要なくらい学んでしまうのです。

学んだことは実践しよう

お笑い芸人のレイザーラモンRGさんが、「○○あるある、早く言いたいー」と何度も歌った後に、ひとつだけ素朴な〝あるある〟をいうネタが人気ですが、何かを知っていたらいいたいという欲求が、勉強にとっては大事です。勉強したことを何かで使いたい、どこかでいいたいというのは、スポーツで腕を鍛えたら試合で力を試したいというのと同じで、自分の身につけたものがあれば発揮したいということです。

それは、もちろんテストで力を発揮するという形でもいいですが、勉強したことを実践で役立てるのがニーチェ的です。自分のものを掴んで、それを発揮して、いまの自分を乗り越えて、次の自分を実現していく。そういう強さ、前向きな勢いが、ニーチェの『ツァラトゥストラ』には溢れています。

君は今の自分に満足する気か

ですから、とくに大学生には、ぜひ『ツァラトゥストラ』を読んでほしいと思います。受験が終わって大学生になると、勉強することに関してはエア・ポケットに入ってしまい、「何のために大学にいるのだろう」と思うこともあるでしょう。そんな感じになったとき、『ツァラトゥストラ』を読めば、「そんなことといっている暇があるのか！　今の自分を乗り超えよ！」「君たちは、今の自分に満足する気か、その程度の人間で満足する気か！」みたいな感じで、ニーチェが叱咤《しった》激励してくれるでしょう。

勉強に対する「勢い」を大学1年生のときに持ってもらおうと、学生たちに『ツァラトゥストラ』を読んでもらうのですが、なんとかチャレンジして読んだ学生は、「そういえば、自分は部活で苦しいときに、こういうことがありました」などと、自分に引きつけて考えます。また、ある学生は、『ツァラトゥストラ』とマンガの『スラムダンク』（高校バスケットボールを題材にしたマンガ。作画は井上雄彦・集英社）を照らし合わせて読み、いろいろな発見をしたそうです。

弱い自分を超えていけ

この『スラムダンク』という作品に魅力を感じるのは、登場人物がみな、自分を乗り超えようとしているからでしょう。たとえば、主人公の桜木花道は、やりたいことが特に見つからなくて体ばかりでかい乱暴者でしたが、バスケットの技術を身につけ、そこにエネルギーを注ぐことによって、新しい自分、新しいアイデンティティを獲得していきます。

そんなふうに、『スラムダンク』の登場人物にはそれぞれ、「もっちょっと、こうなりたい」という思いがあり、その熱量が作品を熱くさせているのです。それがもし、「いまの自分でいいや」とか、「負けてもいいや」という登場人物ばかりだったら、物語は盛り上がりません。

この『スラムダンク』の熱さは海外の人にも通じるようで、パリに行ったときにフランス語版で出版されてるのを見つけ、「フランス人の心も打つのか」と嬉しくなって思わず買ってしまいました。また、韓国などでも大変な人気です。そんな『スラムダンク』をニーチェの『ツァラトゥストラ』と合わせて読んでみるといいでしょう。「あぁ、こういうことか」と、『ツァラトゥストラ』もわかりやすくなるはずです。

人間には弱い部分があり、恐怖心を持ったり、同情したり、すぐにくじけたり、ひがんだり、傲慢になったりしますが、そういう弱いものを乗り超えていくのがニーチェのいう「超人」ということです。「超人」の元の言葉はドイツ語で「ユーバーメンシュ（Übermensch）」といい、「人間的なるものを超えて行け」というような意味です。

高校野球などを見ていても、苦しんだ試合をひとつ超えると、強くなります。その１試合が経験になって、チームとして強くなる。チームの伝統も乗り超えます。前の世代がベスト16だったら、次の世代がベスト８に、また次の世代がベスト４にいくというようにです。サッカーのワールドカップも同じで、いきなり優勝する国はありません。まずはベスト16、次がベスト８、そして次にベスト４という感じです。メンバーが変わっても、チームの経験知が生かされて順位は上がるのです。結果、その実績が「そこまでは行ける」という自信になります。だから、優勝し慣れているチームは、何度でも優勝します。

それと同じで、自分のなかにある恐怖心など、弱いネガティブなものを乗り超える経験が、次への勇気になります。乗り超えていくためにも、友だちは、同情し合う関係ではなく、互いに高め合う関係でありたいものです。

第4章

自信のある生き方をする

1 苦労をした分だけ確かな自信につながる

自分が自分の敵にならないようにする

今、自分に「自信がない」という人は意外と多いです。とくに現代人は心がドンドン折れやすくなってきています。私が教えている大学生からも、就職や人間関係、さらには学業に対して「ちょっと自信がありません」という発言をよく耳にするようになりました。では、自信を取り戻すにはどうしたらいいのか。ひとつは考え方だと思うのです。

その考え方とは、「自分が自分の敵にならないようにする」ことです。つまり、自分はいつも自分の味方であると信じるのです。そうすれば能力と関係なく、常に自信を保つことができます。

能力と自信とは必ずしもイコールではありません。ただ能力が低いのに自信を持ち過ぎている人はいます。それは厄介な人ですが、そういう人でも社会でもまれて自ずと改まっていく面があるわけです。

ただ、日本人は自己評価が低いほうだといわれています。それは、ひとつには謙虚であれ、といわれ過ぎて自分自身に対して、自信を持つことが難しくなってしまったのではないかと考えます。

チャレンジ精神に乏しい

日本人は、よく、まだやったことがないとか、できないと尻込みする傾向があります。どこか自信に欠けているところがあります。それが、マイナス面です。要するにチャレンジ精神に乏しいのです。

たとえば子どもにサッカーを教えている先生が、子どもたちに「誰か前に来てリフティング（ボールを足で何回も蹴り上げる）をやってみてくれ」というと、日本の子どもたちはなかなか前に出てきません。

でも、先生が指名して、その子どもにリフティングをやらせると、それがうまい。そして大抵の子どもはできるのです。その一方で、外国人の子どもはみんな、できるできないにかかわらず、「僕はできます」といってドンドン前に出てやるそうです。

これは、どちらが良い悪いという話ではありません。ただ、社会人になれば、心がけとして慎重さの中にも、積極的な姿勢がほしいと思います。

もっといえば、私は自分に自信を持って何事にもチャレンジして、そのエネルギーで社会を変えてほしいと願っています。ところが、自信というのは心の持ちようや気質に作用されてしまいがちなのです。

ですから、自信を持てといわれて、すぐにできるとは限りません。

不安定な経験に基づく自信

そこで、大切なのが経験です。経験を積んだ人は自然に自信がついてきます。たとえば、学生の部活動でいいますと1年生より、2年生のほうが何となく、自信がつき、3年生になると、それなりの雰囲気を出すものです。それは、たった1年、2年の差なのですが、1年生と3年生では、何となく貫禄が違ってきます。これは経験を積み上げ、チームの中で上に立つことによって自信を持つからです。

それは、社会人でも同じです。新入社員が3年も経つとそれなりに、自信を持つようになります。しかし、社会人になると経験を積んでも自信を持てないケースもあります。会社の人事評価が、同期と比べると高くないとか、出世が遅れていることもあります。

そして、会社の業績が悪くなってくるとともに、人事評価が下がっていき、さらには職を失う場合もあります。

ある意味、社会の中での経験というのは、不安定な面があります。せっかく、10年かけて培ってきた知識や経験が、社会の情勢が変わると、それが一気に役に立たなくなることもあるのです。

揺るぎない自信とは

となりますと、揺るぎない自信は何か、それは学んで得た知識です。その知識は一度、身につくと消えにくいのです。もちろん、経験は重要です。ただ、経験以外に知識をつけることは、人に与えられた自由な能力でもあります。

経験だけですと、人間に厚みは出て来ません。仕事をさらに発展させるのも大変ではないでしょうか。たとえば、自分の経験だけで小説を書き続けることが非常に難しいのと似ています。ゲーテは『若きウェルテルの悩み』から『ファウスト』、『親和力』などさまざまな作品を書きましたが、自分の経験だけで、こういう小説を書いたわけではないのです。小説などを執筆するうえで、経験していないと書けないのでは、こうした名作はそもそも生まれてきません。

本には無限の知恵がある

自分の経験だけでは、普遍性が十分ではありません。その理由は自分が携わる仕事に限界があるからです。また、人間関係も一定の範囲にとどまります。

ところが本を読みますと、さまざまなことを知り、体験し、多彩な人間に触れあうことができます。それは無限です。著者の得た経験、知識というものが、そこに凝縮されています。

そこには、自分が知らなかった世界が広がっており、本を通じて著者の渾身の力を込めた知恵を受け取ることができるのです。

本を読み知恵がつくと、自分がこれまで行ってきたことは正しかったのか、あるいは間違っていたのか、わかるようになります。そして、自分の職場や近所に意見の違う人がいるのも仕方がないことと、本を読むと徐々に思えてくるのです。ある意味、見識のない経験だけですと、時には「何でこの人は、こんなことをいうのか」と理解できず、不思議に思い、憤《いきどお》る場合があるかも知れません。

本を読むことで、今の自分より酷いことをいわれ、それを乗り越えた人がいたことを知ります。

たとえば、いじめを受けた人たちがどんな発言をしているのか、それが書かれている本があります。また、その困難を乗り越え、解決したことを綴った本もあるわけです。さらに、犯罪被害者がどのような気持ちでいるのかも本を読むことで分かってきます。

高い山を登り切った爽快感が生まれる

そうした本に接すると自分の思いや見方を変えようという考えが生まれます。そこに「学び」があるわけです。

ひとつ学ぶことで、自信になる。学び続けている人は、基本的にまっすぐな気持ちを持ち、自己肯定力が強くなっています。

私は教えている大学生に、かなりハードな読書をリクエストします。たとえば、ドストエフスキーの長編小説『カラマーゾフの兄弟』を読むようにと課題を与えます。そうすると、『カラマーゾフの兄弟』を読む前と、読んだ後とでは、学生たちの目の輝きが違ってきます。

世界文学の最高峰とも言われる、ドストエフスキーの最高傑作を読み切ったという自信がそこにあるのです。

これは、考えてみると山登りと似ていると思います。高尾山みたいな誰でも簡単に登れる山もありますが、南アルプスとか、槍ヶ岳とか、いろいろと険しい山もあります。そうした傾斜の急な山にチャレンジして、それを登り切ったときに、爽快感とともに自信がついてきます。

『謎とき「カラマーゾフの兄弟」』（新潮選書）の著者・江川卓さんによると、戦前の旧制高校では、入学するや否や「『カラマーゾフの兄弟』の中で誰が好きか」という質問を、寮の先輩から受けたそうです。

そのときに答えられなければ、怒られます。また仮に「アリョーシャが好きだ」と答えると、先輩から「分かっていない」といわれてしまうのです。その当時、求められていた答えは「イワン」だったりするわけです。イワンはキリスト教の限界を述べる、無神論者的な人物でしたから、知的に思われていたのでしょう。これは、寮における新入生の人間性や教養を試したテストでした。そこで、問われることは知識だけではなく、人間の豊かさそのものです。当時の気風がしのばれます。

宮沢賢治の弟子なのだから自分自身を鍛えよ

また、昔の慶應義塾の学生は創設者の福沢諭吉に学んだとして生涯、自信を失いませんでした。一種の誇りだったのだと思います。また、福沢諭吉も緒方洪庵の適塾で学んだということが一生の自信につながっていったわけです。緒方洪庵先生の弟子として諭吉は自信を持っていました。

宮沢賢治は花巻の学校で先生をしていましたが、学校を辞めるにあたり生徒たちへ別れの詩を送ります。それが『告別』（宮沢賢治全集1、ちくま文庫）です。

その詩を読みますと、私（宮沢賢治）が教えた生徒の中に、自分には才能あると思い込んでいる人がいるかもしれない。しかし、そのような（才能を持っている）人はこの世の中にはたくさんいる。自惚《うぬぼ》れるのではなくて、もっと自分を鍛えなくてはいけないと、生徒たちを叱咤激励するわけです。

もっと試して、耐えて、孤独の中で、自分自身を鍛えなくてはいけないと宮沢賢治はいいます。

「いいかおまえはおれの弟子なのだ
ちからのかぎり
そらいっぱいの
光でできたパイプオルガンを弾くがいい」

というのです。

こういう詩を送られると、生徒は宮沢賢治の弟子であることを誇りに思うはずです。教師である宮沢賢治は、非常に生徒たちに好かれていました。当時、有名ではありませんでしたが、宮沢賢治はすごい先生だと、生徒たちは分かっていたのです。その素晴らしい先生に学んだのだから、自分は大丈夫だという自信がつくわけです。

素晴らしいコーチに出会う

また一流テニスプレーヤーには、大抵すごいコーチがいます。世界一の選手になってもコーチがいて、そのコーチに支えられながら選手は試合に臨みます。世界一になってもまだ、教わることがあるわけです。

常に教わって指導を受け続けないと世界一は維持できません。なかなか難しいことです。いつまでも学び続けることが重要なのです。学び続けていることで自信がつき、試合は勝ち続けられる。それが自己肯定力につながるわけです。

このように、試合に勝ち続ける方法や勘どころを教えてくれるコーチは必要なのです。

実は私にも多くのコーチがいました。たとえば、『平家物語』について小林秀雄が4ページぐらいの文章を書いています。そこには「祇園精舎の鐘の声、諸行無常の響きあり……」とあるが、それは『平家物語』の本質ではない。そういう無常観ではなく、合戦場面における生き生きとした人間のあり方が『平家物語』のよさなのだ」という意味のことが書かれてあります。

それを読んでいたお陰で、『平家物語』の合戦場面が面白く読めるようになりました。合戦場面を音読すると、たしかに宇治川の先陣争いや平敦盛の最期の合戦場面は面白い。ただ戦うのではなく、日本人の美的な感性が出ていることが強く感じられたものです。「祇園精舎の鐘の声」というのは、よく考えてみると、仏教の無常観を表現しているのであって、『平家物語』だけの特徴ではありません。

当時の私にとっては、小林秀雄が非常に優れた案内役となり、コーチになってくれたのです。

また、太宰治の作品にはドロドロとした、ややこしい自尊心の世界があります。青春の悩みや自意識の行き詰まり感のようなものがありますが、そんな太宰もコーチ役になってくれるはずです。

さらに、フランスの文豪、ロマン・ロランも私のコーチでした。『ジャン・クリストフ』は私に学ぶことの素晴らしさを教えてくれたのです。それを読んで『ベートーヴェンの生涯』、『ミレー』、『ミケランジェロの生涯』も読み、芸術や文化を味わいたい思いが掻《か》き立てられたものでした。

学ぶことで得られた自信が本物

「今、何か学んでいますか」と聞かれて、「これを学んでいます」と答えられる人は、どのくらいいるのでしょうか。

学んでいると答えられる人は、自信を持っている人です。

小学生1年生、2年生が、お母さんに「今日はこれを学んだよ」というのは自信があるからなのです。「お母さん漢字が書けるようになったよ。掛け算ができるようになったよ」といえば、それが自信なのです。中には生まれつき自信を持っている気質の人もいますが、それは大した問題ではありません。学ぶことによって得た自信こそが、正しく大切なものです。

自信の根拠をハッキリさせることが重要です。根拠のない闇雲《やみくも》な自信は、本当の自信ではありません。

一生懸命に練習してきた、勉強をしてきた、そしてこのような結果を得た、それが自信につながるのです。

たとえば、有名大学にコネクションを使って入学したとしましょう。そういう人は本当の自信をゲットしていません。

あれだけ苦しい練習をした、苦しい勉強をした、そして、ようやく難関の試験をくぐり抜けたと、そういう人は自信を失わないのです。苦労した分だけ、確かな自信になる。だからプロセスが重要です。

ただ結果は、運不運があります。一生懸命にやってきたけれども、結果はダメだったということもあります。

不合格となったら、やってきたことがすべて、無駄だったのか、消えてしまうのか。そうではありません。一日、一日頑張ってきた自分に自信が生まれるのです。自分が学んできたことに自負心を持つ。それが大事です。

「宮沢賢治」が棲みつく

受験勉強で一生懸命、宮沢賢治を学び、本を読んだとしましょう。すると、受験生の心に宮沢賢治が棲みつくことになり、自分の味方になってくれます。宮沢賢治に直接、教わった人は、ごくわずかですが、しかし、宮沢賢治に人生を教わった人は本を通じて、たくさんいるわけです。

『雨ニモマケズ』を、私が総合指導しているNHK Eテレ『にほんごであそぼ』で扱うと、子どもたちは一生懸命に覚えてくれます。

『雨ニモマケズ』を覚えてくれた子どもは、ある意味、宮沢賢治の弟子でもあるわけです。「サウイフモノニ　ワタシハナリタイ」というラストまで暗唱できると、宮沢賢治の一番、大切なものを、子どもたちは受け取ったことになります。それが、自分の心を支える礎石のひとつになるわけです。

学んでいない人は、自分が持って生まれた素質だけで勝負することになります。しかし、それだけでは、頼りない。心に文化や、人類の遺産をドンドン積み上げて、揺るぎないものにしていく。それが大切だと思います。

文化遺産は、学びによって継承されるわけです。ですから、生まれてから、何も学ばないで死んでしまった場合、世界中の文化遺産は自分には関係ないものとして終わってしまうことになります。

2　言葉の力に目覚める

偉人との触れ合いを深める

偉大なものに触れることで、自信がつきます。たとえば、シェークスピアと無縁で人生を終わる人がいるとすれば、もったいない。私は小学生のときに『ハムレット』や『ヴェニスの商人』を読みました。小学生なりに、シェークスピアに触れたわけです。

それが、自分の中で徐々に自信につながっていくのです。本との出会いが、人との出会いだと考えてみますと、本を通じてさまざまな偉人に触れ合うのは非常に大切なことです。こうした本が世の中に溢れているわけです。読めば読むほど人は自信を深めていくのだと思います。

本を読む際に大切なことは、情報として捉えるのではなくて、人格として捉えることです。

たとえば、誰かに「こうしなさい」といわれても、誰にいわれたのかによって、随分、変わるものです。自分が尊敬している人からいわれたのであれば、「じゃ、やってみよう」という気になります。それが本の魅力です。

誰の意見なのかがポイント

夏目漱石や福沢諭吉の本を読んだ読者は、自分の尊敬している先生がいっているのだから、それだったらそれを信じてやってみよう、となります。

夏目漱石が『私の個人主義』という演説の中で、「私は多年の間懊悩した結果ようやく自分の鶴嘴《つるはし》をがちりと鉱脈に掘り当てたような気がしたのです。なお繰り返していうと、今まで霧の中に閉じ込まれたものが、ある角度の方向で、明らかに自分の進んで行くべき道を教えられた事になるのです」と語っています。

つまり、みんなさんは鶴嘴《つるはし》で、鉱脈が見つかるまで、掘り続けなさい。腹の底から「これだ」と思うようなものを見つけ出し、それがあったら、ぶつかっていけというわけです。そういうことを夏目漱石は当時の若者に訴えました。

すると、若い人たちは、夏目漱石がいうように、「本当に自分はこれがやりたい」「ここに自分が生きる道がある」と真に思えるようなところまで、鶴嘴で掘り進まないとダメなんだと考える。「漱石先生がそういうなら、やってみよう」という気になるわけです。誰がいったのかが非常に重要なのです。

素直な気持ちで受け入れる

たとえ平凡そうなことをいっている本であっても、偉大な人物の場合、胸に迫ってきます。

『論語』はそのいい例です。『論語』は一見すると、平凡に思える言葉があります。しかし、孔子の言葉だと思うと、当たり前のことでも、それができるか否かが重要だと素直に思えてきます。

素直な気持ちで、心をオープンにしておくことが本に接するコツですが、その気持ちが自信につながっていきます。これが、学ぶ心です。本を読むということは、ある意味、著者に対して心を開くことでもあります。だから、素直さを保ちながら著者の思いを受け取ることが大切です。

自分の考え方に凝り固まって、自分の主張をまったく変えない自信というのもあるでしょう。一方で、柔軟に、こういう考え方もあるのだと常に更新し、今まではこう思っていたけれども、この思い、考え方はちょっと変えないといけないと気づくことがあります。それが学びです。学びを止めてしまった人は、頑《かたく》なな人というイメージになります。その人と対話をしていても、相手は楽しくありません。

考えが固まり過ぎている人は、相手から学ぶことがないので、話している相手から全く、刺激を受けることはありません。

柔軟な姿勢が学びの基本

大学の授業は、先生と学生の間に対話的な空間を作ると盛り上がります。先生が一方的に話し、それを学生が一生懸命にノートをとるケースだと、盛り上がりに欠けるわけです。逆に、学生のアイデアによって、先生が授業内容を変えて、「じゃ、これをやってみよう」となると、教室に新しい空間が生まれます。すると、学生たちに参加の意欲が高まってくるのです。

柔軟な姿勢が学びの基本です。すごく勉強しているけど、心が頑な人は、学び方が今ひとつなのかも知れません。学べば学ぶほど、心は頑にはならないのです。何とか主義者に凝り固まってしまいますと、そこで立場を固めてしまい、それ以外のものは認めないとなってしまいます。

そうではなくて、心を常にオープンして学ぶと、自分がこれまで考えきた反対の意見も、一理あるなと思えるようになるわけです。それが、自分の考え方の幅を広げていくことにつながります。

今非常に重要視されている言葉があります。それは「ダイバーシティ」です。これは生物多様性という意味で、世界はいろいろな生物がいて、多様に富んでいます。いろいろな環境が多彩な生物を創っていく。学び続けることは、これと同じです。

学ぶ意味をときどき思い返してみることはいいことです。何となく、学ぶこともなく、数年を過ごしたという人は、年齢を重ねると結構いると思うのです。

6年間を単位にして考える

ここでひとつ提案があります。人生を6年の単位に考えみることです。小学1年生の入学から中学1年生の四月までで6年間経っているわけです。この間、見違えるほど人は成長します。さらに中学1年生から6年経ちますと、大学1年です。中学1年生と大学1年と比べると、様変わりに成長し、大学1年生と社会人の3年目はすごい変化があると思います。

ところが30歳、40歳、60歳の6年間は、どうなのかと考えると、社会人3年目以降になるとそこまでの変化はありません。6年間の2倍は12年。それを5回繰り返すと、還暦となります。この6年間とか、12年の間に何か学んだか、思い返してみて、思い当たらないというのでは少々さびしい。

しかし、無駄でなかった人もいると思います。たとえば、50歳から56歳の間で新しい楽器の演奏を習得したとか、三味線が弾けるようになったとか、民謡が歌えるようになったとか、何か自分の身についたものがあれば、6年間は無駄に過ごしたことになりません。6年間やり続けると、何かしら身につきます。

自信を取り戻す時間

自信が持てない原因のひとつに、過去を振り返ってみると、何も学んでこなかったのではないかという、気持ちになることが挙げられます。そして、ふたつ目が、これまでやってきたことが全部、無駄だったのではないかと思えてしまうときです。それが大きな不安につながります。歳を重ねるとよく「若い頃、もっと勉強しておけばよかった」という声が聞こえてきます。そうした後悔が自信を失わせるのです。

しかし、夏目漱石や宮沢賢治の全集を読んで過ごしますと、その時間が無駄だったとは思えません。その全集が人生にどれくらい生かせたかどうか、それは分からないかも知れませんが、読んだことそのものは無駄とは、いえないのです。逆に素晴らしい時間であったといえます。

ですから、50歳、60歳になってからでも、こうした全集を読むことをお勧めします。充実した時間を過ごせるはずです。その偉人（たとえば夏目漱石、宮沢賢治など）と会って、話を聞いた。そういう日は無駄でなかったはずです。

作者が蘇るような朗読

本を読むことは一種、「蘇りの手法」といえます。まるで死んだ偉人が蘇ってきて、そこで語り出すというイメージです。

朗読が上手な人がいて、作者本人が語る以上に迫ってくることがあります。たとえば、『１００分de名著』というＮＨＫ Ｅテレの番組（毎週月曜日午後10時25分～10時50分）で、役者さんが、本文を朗読すると、作者が蘇って語っているような感じで聞こえてくるのです。朗読のプロはたいしたものです。迫真のリアリティがあります。

『ブッダ最期のことば』の朗読を聞いていると、ブッダが本当に私に語り掛けてくるような錯覚に捉われ、心に迫るようにブッダが蘇ってきます。改めてブッダはこういったのか、という気持ちになるのです。不思議です。朗読は、本に魂を吹き込むことになると思います。つまり、自分の目の前に作者が蘇ってくるわけです。

「声」というのは、心に迫るものがあります。その声は、歌うことでもあります。たとえば『万葉集』に納められた和歌（約４５００首）は、もともと歌われていたものを、文字にしたものです。だから、声に出して歌われることによって、生命を取り戻す。たとえば、年頭に宮中で行われる「宮中歌会始」があります。この歌会始というのは、和歌を披露しあうことをいいますが、ただ読み上げるのではなく和歌を歌うように紹介するのです。

歌は心に入り込む

ですから、どの時代も歌は非常に人気があります。「桜の歌」といえば、コブクロの『桜』かも知れませんし、森山直太朗の『さくら』、あるいはいきものがかりの『ＳＡＫＵＲＡ』

かも知れません。世代ごとに「この歌」というものを持っています。自分たちが高校を卒業するとき、流行っていた「桜の歌」が歌われると、卒業生の胸にぐっと迫るものがあるわけです。それぞれの心に言葉がメロディーとともに、入り込んで抜けません。言葉が最も強い力を持つときは、歌われた瞬間です。

たとえば、私が授業で学生たちに「この詩を暗唱してください」といいます。この場でパッと暗唱できる学生はほとんどいません。なかなか頭に入らないのです。『和漢朗詠《わかんろうえい》集《しゅう》』（講談社文庫、平安時代に藤原公任《ふじわらのきんとう》が漢詩や漢文、和歌を集めて朗詠のための詩文集）という、大和言葉の歌、中国の古典を吟ずる本があります。詩を吟じるという習慣が平安時代にはありました。

貴族でありながら、それに収載《しゅうさい》されている和歌を知らなければ、その人は恥をかいたのです。しかし今は、暗唱するという習慣がほとんどありません。だから詩の暗唱が苦手なのです。ところが学生に「じゃあ、何か歌を歌ってくれ」というと、歌詞を見なくても、歌いきるわけです。そういう歌をたくさん、学生たちは持っています。

メロディーがついていると、覚えやすくなり言葉が出て来るのです。このように歌はすごい力を持っていて、しかも心が掻き立てられます。「歌う」には、もともと「うったう」という意味があり、「心に訴える」に通じます。言葉の成り立ちからして、訴えるというのは、非常に重要なモチベーションです。

『万葉集』は言霊《ことだま》の結集

人に「この花、綺麗だよね」と人に訴えたいとします。綺麗という気持ちを表現するには、なんていえばいいのだろうか。または「最近、暑いよね」、さらに、雪が解けて、植物が芽を出して、「気持ちが明るくなってきた」をどのように表現したらいいのか。

この感じは「春」だな、といった場合、「春」というのは気持ちが「張る」とか、気持ちが晴れ晴れとの意味合いもあります。大和言葉で「張る」と「春」は音としてつながっています。ですから、みんなが感じている、気持ちがワクワクするこの感じは「春」となるのです。「春」を「冬」と名付けてもよかったわけです。けれども、「春」は「張る」ほうがピンと来たのだと思います。大和言葉にはそのように生命がこもっているわけです。それを「言霊」といいます。

その言霊の力を結集したのが、『万葉集』です。国民の心情が歌というカタチになり、それが歌われ続けることでみんなの心を安定させて国を守る力となったのです。そういう思いが『万葉集』には込められています。篠崎紘一『万葉集をつくった男 小説・大伴家持』

（角川文庫）は、生き生きと言霊の力を描いています。

言葉で私たちの共同体、国を守ろうとしてきたともいえます。言葉の力に目覚める。それが学ぶあり方でもあります。

3　他者性が自分を強くする

代弁者としての「太宰治」

本を読んでいて、この感情を自分はこれまで言葉にしていなかったとか、この言葉は、これまで自分が考えてきたそのものだと、思う瞬間があります。よく太宰治は青年たちの代弁者といわれています。

他人の目を気にしすぎて、うまく距離が取れないと悩んでいる若者がいますが、太宰治の代表作の『人間失格』を読みますと、主人公が自分の苦しみを代弁してくれるような感覚を持ちます。自分がうまく表現できなかったことを本は言葉にしてくれて、考えがハッキリする。それにより新たな自分が見え、自分を再発見する。そういう学びがあるのです。別の人の言葉に出会うことで、違う考え方も見えてきます。それには本や人間とのコミュニケーションが必要になります。その能力は、学びによって培われるものです。

タフな人間に成長させてくれる人間関係

いろいろな人間と触れ合うことによって、自然とコミュニケーションの仕方を学びます。かつて日本の家族はきょうだいが多くいました。きょうだいの中でもまれ、「人が苦手」などといっていられません。そもそも家には引きこもりができるスペースなどなかったわけです。私の父親は10人きょうだいでした。それぞれ結婚して、孫を持ち、私にはいとこが20～30人もいます。そういう家に育ちますと、人間関係は自然にもまれます。しかし、やがて日本の家族で子どもは3人から2人に減り、1人も少なくありません。

ですから、人間関係の経験が少ないまま青年になることがあります。コミュニケーション能力を高めるために、何かしら練習しないといけません。会社に入りますと、急に人間関係でもまれます。

それが嫌になって、会社を辞めてしまうケースが少なくないのです。しかし1年か、2年なんとかこらえますと、随分人間的にタフになっている感じになります。複雑な人間関係に持ちこたえられるためには、予習が大事になってきます。それは本を通じて行います。小説をたくさん、読んでいますと「こういうタイプの人は、あの小説に出てきたな」と、現実の人間を見たときに、だんだん分かってきます。

人間の本質が見える本

たとえば、シャネルブランドの創設者、ココ・シャネル氏はインタビューで「シャネルさんはなぜ、そんなに物事が分かるのですか」と聞かれて「私は本をたくさん、読んできたので世の中のことが分かるのです」と。さらに「本を読みさえすれば、いろいろな人間について理解ができます」ともいっていました。実際の人間と接しているだけではなくて、いろいろな本、中でも小説を読むことによって、人間の本質が見えやすくなったのです。

たとえば、芥川龍之介の短編小説に『鼻』があります。この小説は、あるお坊さんの「鼻」の話です。京都の僧である禅智内供は15～18センチの長い鼻でした。それを人びとから揶揄され、笑われて、陰口をいわれ続けたのです。内供の心は深く傷つきました。

ある日、医者から鼻を短くする方法を聞いて、鼻を踏んだりしてもらい、短くすることに成功します。

しかし、短くなった鼻を見て、人々はますます茶化して笑うわけです。ある夜、短くなった鼻が元に戻り、悠然と歩くというストーリーです。

これは、「人の不幸を笑う」という人間の本質を捉えた作品ですが、他人の目を気にしすぎた自分から、脱却することの大切さも教えてくれます。こういう本を読んでいますと劣等感、コンプレックスを持ち過ぎてもしょうがないと思えるようになります。「鼻」にあたる部分は自分ではこれだなとか、コンプレックスは最終的には自分の心の持ちようなのだと考えられるのです。ひとつの小説からコンプレックスに対する向き合い方が分かるようになってきます。

障害が自分自身を深めてくれる

現実を受け止めていく。こうした観点から、ひとつ本を紹介したいと思います。『ぼくの命は言葉とともにある』(福島智著、致知出版)という本で、著者は現在、東京大学教授ですが、9歳で失明して、18歳で聴力も失いました。

福島さんが失明して中学生になって読んだ小説で印象に残っているのが、芥川龍之介の短編小説『杜子春《とししゅん》』でした。これを読んで、本当の幸福というのはなんだろうと考えるようになったといいます。

「この『杜子春』を読んだとき、私は自分が目が見えなくなったという体験とつなげて、この作品のモチーフを考えていたように思います」と。すると「幸福というのは今、目の前にあるもの、すでに自分のそばにあるものだ」という芥川龍之介のメッセージを受け取るわけです。

そして、「このしばらく後、自分が深い泥の中に沈んでいくような夢を見ました」。そこを基にして、福島さんは創作童話を作ります。

目が見えなくなったという辛い現実と『杜子春』を重ねて、童話『龍之介の夢』を書きました。「その童話の中で、私は『いちばんおまえに見えていないもの、聞こえていないものは、おまえの真の心なのだ。それがいちばん苦しいのではないのかな』『さあ、自分から泥沼の中に入って苦しむのだ。そして、自分の本当の心を見つけ出すのだ』ということを、登場人物である老人に言わせます」。これは、『杜子春』の中で老人にいわせているのと、ちょっと似ています。芥川龍之介の『杜子春』に刺激されて自分の失明を重ね合わせて、それを童話にした。そこに自分が生きる手ごたえを感じたというのです。

「ＳＦ小説」に希望の光を見つける

さらに福島さんは小松左京のＳＦ小説からも生きる力を貰ったと言います。小松左京さんの『日本沈没』（角川文庫）に感動し、小松左京さんとその後会います。二度目に会ったときに、小松さんから「点字で僕の作品を読んでくれているとは思わなかったなあ」、「僕の作品が『生きる上で力になった』って言ってくれたよね。僕はあの後一人になってから、涙が出てきて仕方がなかった……」と言われたのです。

「ええ、目が見えず、耳が聞こえないっていう盲ろうの状態自体が、言わば、〝ＳＦ的世界〟ですからね」と福島さんは言います。

目が見えない、音が聞こえないという真っ暗な状態をＳＦ的な世界というのはすごいい方だと思います。普通はそんなことは言えません。

「でも、いったんそう考えてしまうと、何だか楽しくて、明るい気分になってきますし、不思議に生きる勇気や力が湧いてくるんです。どんな状況におかれても、ＳＦのように、きっと何か新しい可能性が見つかるはずだっていうふうに……。小松先生の作品には、人類の文明や社会のあり方を問い直すというテーマと同時に、圧倒的な逆境に立ち向かう人間の姿の素晴らしさ、そして、人の人生や幸福というものの意味を考えさせられるモチーフが裏にあると感じました。『復活の日』、『地には平和を』、『こちらニッポン…』、『継ぐのは誰か？』、そして『果しなき流れの果に』。みんな、そうですね」

「僕は……、こういうふうに僕の作品を読んでくれている人が、たった一人でもいた、とわかっただけで、これまでＳＦを書いてきた甲斐があったよ……、僕は……」

といって小松さんが泣いたというのです。

点字になっている小松先生の本を読んで、感動して、自分が置かれている状況をＳＦ的で楽しくなる。そして逆境のとき、立ち向かう生きる力が湧いてくる。学ぶということはこういうことだと思います。本と出会い、作者の思いを受け取り、現実がこれまでと違って見えてくるのです。

人生を面白がる

福島さんは落語も好きです。笑いが生きる力を教えてくれたといいます。

「ＳＦと落語は根底の部分でつながっているのではないかと思っています」「日本の戦後ＳＦ界の大御所である星新一も、落語が好きでした」というのです。

好きな落語のひとつに『地獄八景亡者戯《じごくばっけいもうじゃのたわむれ》』があり、それがSF的世界なのだといっています。発想の転換がポイントです。

「要するに、私はSF的あるいは落語的な発想、それは言ってみれば、『発想の転換の発想』が好きなのです。SF的な発想とは、例えば、今、自分の目の前にある現実を、唯一絶対的な固定的な現実とは見なさないということです。この現実とは、いろいろ考えられる可能的な現実の一つのパターンにすぎず、別の選択肢がいくつもあるに違いない、もし、違う選択肢を選んだらどうなるだろうか……（中略）そうした発想に、私はわくわくし、とても心惹かれます。」

「落語的なユーモアの感覚、人生やものごとを面白がるというスタンスです。それらが盲ろうの障害を持ったときに私を救ってくれたように思います。」

落語のユーモアが障害のある自分を救ってくれたと感じ、困難があっても、そこで笑うことだ、と気づくのです。

コミュニケーションによって他者の存在を知る

福島さんは、逆境に対して発想の転換をします。「これは半分どこかで自分を茶化すようなスタンスですね。ここには盲ろうというドン底の状態に今まさになりつつあることを逆手にとってギャグにするという発想があります。自分の心の中のどこかで『もう、これは一体どないなんのやろなあ、ほんまに』というような、『トホホホ』という気分になりつつも、同時にそれを面白がるような気分もある、という感じです。

ギリギリの極限状態まで来てしまったのだから、ここからどこまでやれるかどうせなら楽しもうやないかという、逆説的なユーモアの発想でもあります。（中略）『貧乏花見』のおかしさの底には、こういう発想が流れていると思います。」

今、自分の目が見えなくなった、耳が聞こえなくなった、という状況の中で、笑い飛ばす。本と出会って自分の考え方がどのように変わったのか。これは一冊の本と深いコミュニケーションをしていることになります。コミュニケーションを取ることによって他者を認識して、一個の自分という存在を知ることができます。

「コミュニケーションによって、人間は初めて他者の存在を知り、他者の存在を実感します。しかしそれだけではなく、より本質的な問題は、他者の存在が実感できることによって、初めて私たちは自己の存在をも実感できるのではないかと思われる点です」と福島さんは言います。

他者の存在が実感できることで、自分の存在が実感できるというわけです。

そして「少なくとも他者からの能動性がなければ、私からだけ、自分だけで光り続けるっていうことは難しいんです」とも。自分だけが光るのではなくて、他の人の思いにも応えていくことで、自分が本当の意味で輝くといっています。

他人が何か誘ってくれて、それに対応していきますと、新しい自分を発見できます。それも重要なコミュニケーションです。

私にとって「学び」は、いろいろな機会を捉えて自分を豊かにしていく、つまり多様な樹木が心に育っていくイメージがあります。要するに、「他者性」を自分の心にどれだけ持ち込めるかです。「学び」には他者性が大切なのです。

自分の中で他者が思考する

「学び」には、すべての「栄養素」を満遍なく取り込むイメージもあります。単に自己を反復するのであれば、学ぶ必要はありません。「自分は正しい。自分は天才だ」と自己暗示をかければいい。

しかし、それで十分でしょうか。

やはりそうではなくて、本を読んだり人の話を聞いたりすることによって、「そういう考え方もあるんだ。今まではこう考えていたけれど間違っていた」などという自己否定も含めて、自己を拡大したり深化したりすることが必要です。

そうすれば、他者が自分の中に棲みついていくような感じがしてきます。すると、たとえば、「ニーチェだったら、あるいはシェークスピア、ドストエフスキーだったら、または太宰治だったら、こう考えるのではないか」などというように、自分の中で他者の思い、思考が分かるようになります。

人は学ぶと、そこから自然と影響を受けます。

心の森を育てよう

ある学生が私の授業を受けたとします。その学生が友だちに私の授業の話をするとしましょう。

そのとき、学生自身の考えと私の考えをミックスした話になります。すると、そこで話した授業の内容はその学生の考えになっていくのです。

このときの私は、その学生にとっては他者です。授業の前にはなかった私の考えがその学生の心の中に棲みつけば、私という新種の木が森の中に1本植わったことになります。

自分というものは、多くの他者に支えられて、複雑に絡み合って生きている感じがしてきます。

しかし、そうした他者がわずかひとつ、たとえば、たったひとりの思想や、たったひとつの主義だと、その人の頭は凝り固まってしまいます。

「学ぶ」ことは、「他者理解」です。

他者の考え方に賛同して、その他者を愛するかどうかは別にして、いろいろなものを理解することはとても重要です。

その意味で、「自分は自分だ」と主張しているだけの人は、あまり学ばない人かも知れません。逆に、「自分は他者の総体である」といわないまでも、それに似た生き方をしている人の場合、誰からも学ぶことができます。

4　貪欲《どんよく》に「学び」のチャンスは生かせ

どんなテレビ番組からも学べるものがある

たとえば、同じテレビ番組を観ていても、学んでいる人と学んでいない人がいます。同じ映画を観たときでも、ある人は単なる視聴者として楽しんでいるだけで、別の人は製作者の気持ちになって、自分の仕事に結びつけるつもりで観ている場合があります。

これは、どちらがいいとか決めつけるものではありませんが、私は両方の立場から観ることを習慣にしています。エンターテインメントは娯楽として楽しみたいと思いますが、その一方で、自分が作る立場になったら、どうするか、ということを考えながら観るのも楽しいものです。このように観ますと、どんな番組や映画でも学ぶことが可能です。

私にフジテレビから『全力！脱力タイムズ』（毎週金曜日夜11時放送）という番組の出演依頼がありました。お誘いを受けた当初、番組内容は分かなかったのですが、せっかくオファーが来たのだから、引き受けることにしました。

変わった仕掛けの番組で、有田哲平（くりぃむしちゅー）さんに「これは一体、どういう番組ですか」と尋ねたら、「これは、壮大なコント番組です」といわれました。私が真面目に解説してもしょうがないコント番組だったのです。その結果、出演したらたくさんの楽しい経験をさせていただきました。

キッカケはすべて生かす

私は教育学者ですから、教育関係だけの仕事しかしないといっていましたら、今のように広い見識を持つことはできなかったでしょう。「自分は、お笑い番組には出ない」というスタンスだと、新しい自分を発見することはできなかったと思います。せっかくキッカケがあるのに、それを生かさない人がいます。もったいないな、どうしてやらないのだろうと思うことがあります。

仕事はチャレンジ精神をもって受けるのが基本です。そうしますと、前述の福島さんが言っている「他者からの能動性がなければ、私からだけ、自分だけで光り続けるっていうことは難しい」ことが実感できます。

とくに、福島さんの場合、目が見えなく、耳が聞こえないわけですから、他者の働きかけによって、自分が発展していける要素が大きいわけです。その感覚は、私たちにとって大切だと思います。

そこで、他者とのキッカケをどうするのかです。私は「来た球を打つ」という感覚で、仕事を引受けています。私は「来た球を打て」という言葉が好きです。なぜ、その言葉を使っているかというと、子どもの頃から、巨人軍の長嶋茂雄さんのファンで、その長嶋さんのインタビュー記事を読んでいましたら、「来た球を打つんだ」と書いてあったのです。プロ選手とは思えないようなシンプルな言葉でしたが、「それはそうだな」と私は当時、強い感銘を受けたのを覚えています。

他の選手にはボールに見えても、自分（長嶋選手）にとってはストライクというのがあったそうです。ストライクとボールの見極めではなくて、来たと思ったら打つ。これはシンプルな考え方です。

価値のあった安住紳一郎君との対談本

これが、私の信条でもあります。仕事のオファーがいろいろときますが、先入観で断わらず柔軟に応える。それで人間としての幅を広げていくのだと思っています。とくに若い人の場合、経験を積む必要があります。コミュニケーション能力が高い人ほど、上手に経験が積めます。機会を逃さないことが肝要なのです。

先頃、教え子のＴＢＳアナウンサー安住紳一郎君との対談本『話すチカラ』（ダイヤモンド社）を出版しました。安住君から明治大学の後輩と話したいという申し入れがありましたので、教職課程の学生に急遽、声をかけて30人ぐらい、教室に集まってもらいました。そして安住君は学生たちに何時間も話してくれたのです。

そこに来た学生たちは、生《ナマ》で安住君の話が聞けて、やり取りもできて、学ぶものが相当ありました。私はこの特別授業にたくさんの学生に声をかけました。しかし、バイトを優先してしまう学生も当然、いました。

バイトはいつでも行けるのに、友達にバイトを頼んで、今日だけ変わってくれないかと言えなかったのかなと思います。ドタキャンはいけませんので、配慮は必要ですが、アルバイトは、正社員よりは責任は軽いところがあります。友達との飲み会があったかも知れません。

しかし、安住君の話を聞いたほうが「学び」はきっと大きかったのではないでしょうか。自分にとって何が大きい「学び」となるのかを選択する、そういう感覚が必要だと思います。

その安住君の特別授業に集まってくれた学生たちは熱心で、授業は大変に盛り上がりました。こうした熱心な学生はより一層、学んでしまうわけです。ですから、チャンスを生かせない学生とは「学び」にドンドン、差がついてしまう。

私がいいたいのは、「学び」の機会を失うなということです。「学び」のチャンスを失うな、生かせ。それは、一回切りのことなのです。学ぶのはこのときしかありません。そういう意識で学ぶことが大切です。

「このまま私を帰らす気？」

ピーテル・ブリューゲルが描いた『バベルの塔』が日本に来たことがありました。旧約聖書の「創世記」中に登場する巨大な塔で、天にも届くように建設されたのですが、やがて崩れてしまうわけです。その絵の実物を観るチャンスに恵まれました。それほど大きくない絵でしたが、それを観た瞬間、人類の宝のような迫力があったことを今でも鮮明に覚えています。人間はこんなにも表現できるのかとひどく驚き、感動しました。人間の本質を表現した『バベルの塔』は、その内部までもが、克明に描かれていたのです。

絵を観ることも、学びのチャンスです。せっかく、日本に来たのだから観ておきたい。もう二度と日本には来ないかもしれない絵画です。見損ねてしまっては、もったいない。

また、スペインの画家、フランシスコ・デ・ゴヤが描いた有名な『着衣のマハ』が日本に来たことがあります。開催期間がそろそろ終わるときに偶然、見たポスターが印象に残っています。

「そろそろ本国に帰ってしまいますよ。それまでに観に来てください」という趣旨のポスターでしたが、コピーが洒落《しゃれ》ていました。「このまま私を帰らす気?」。マハが私に直接、話しかけてきたようで、私はそのポスターに惹かれて観に行ったのでした。このチャンスに、私と会わないで、あなたは大丈夫なの? というわけです。何で、あなたは私に会いに来ないの? 学び＝出会いのチャンスを逃すなということです。

前のめりになる出席者

私は講演会に南は沖縄から北は北海道まで日本全国へ行きます。地方の講演会は楽しいのです。どうしてかというと、会場に来てくれた人が、前のめりに熱心に聞いてくれるからです。東京での講演会とは違う印象があります。東京の人たちももちろん、熱心に聞いてくれます。ですけれども、遠くに行けば行くほど、何か食いつくようにして聞いてくれるのです。

先日、沖縄の石垣島で講演する機会を得ました。すごく私は満足して帰りました。講演会で話す内容はある程度、事前に決めていましたが、講演会の空気が違うので、いろいろなインスピレーションが湧いてきて、その場で思ったことを話すことが多かったのです。それであれこれやると、会場に来られた人たちがすごく喜んでくれました。

どうして、こんなに盛り上がるのだろうか。それは「学び」のチャンスに地方の人は敏感だからではないかと思います。反面、東京は「学び」のチャンスに鈍くなっています。学ぶことに飢え、「学び」の意欲を失わないでいる人の前だと、私も講演会に力が入り、楽しくなってきます。

情報が溢れていると気持ちが甘くなる

私の知っている中学生が地方のある山あいに住んでいて、雪が降っている間、自宅にある限られた本を熱心に読んでいました。『ハリーポッターシリーズ』（イギリスの作家J・K・ローリングが書いたファンタジー小説）が大好きで冬休み期間中、一生懸命に読んでいました。そうしたら、その中学生が、この『ハリーポッターシリーズ』の本をすべて暗記してしまったのです。たとえば、「第何巻の何ページにある文章は？」とリクエストしますと正確に答えるのです。私はそんなことができるのかと驚きました。それは手品かと思うほどにすごかったのです。

そういう能力がもともとあった子どもなのかも知れません。いずれにしても、すごい集中力で、家にある限られた本を面白いと思って、徹底的に読み込んで、それを覚えてしまったわけです。そこまで、人間の能力は発揮されるものなのだと感心しました。

現代では情報があり過ぎるせいか、調べることをしない人がいます。これだけ、検索しやすくなっているのに、どうして検索をしないのかなと思うことがあります。

新聞もそうです。図書館などいろいろな場所に新聞は置いてあるのですが、若い人はあまり読みません。ひところ昔、情報を得るのは主に新聞でしたから、隅から隅まで読むことは普通でした。そういうご高齢の方は今でもいらっしゃいます。

「今が、学びのときなのだ。このときを逃さないようにしよう」という意識が薄いと、情報も活用できません。とにかく、学ぶことにハングリーな状態でいてほしいと願ってやみません。

罪を犯して刑務所に入り、そのときから懸命に読書した死刑囚がいました。永山則夫（連続ピストル射殺事件を引き起こした死刑囚。1997年の死刑執行までの間、獄中で創作活動を続けた小説家）です。この死刑囚は刑務所で小説を書き、代表作に『無知の涙』（角川文庫）などがありますが、刑務所に入る前までは本を読むようなことはなかったのでしょう。本を読み始めてから、自分が犯した罪の重さを知り、小説を書き始めたのです。

「ビルドゥングスロマン」で自分を耕す

本を読むコツとしてはひとりの作家とこの2カ月間、つき合うと決めるのがベストです。たとえば私の場合、この2カ月間はロマン・ロランの本だけを読むと決めた時期がありました。『ジャン・クリフトフ』からはじまって、『ミケランジェロの生涯』、『ベートーヴェンの生涯』など代表作を読んで、2カ月間ロマン・ロランのワールドに浸るとロマン・ロランの人道主義がしみ込んできます。

『ジャン・クリフトフ』を読むと、どんな逆境でも前向きな生き方になれるような感覚が自分の中に生まれてくるのです。また、この小説はジャン・クリフトフという主人公の一生を描いています。

これは「ビルドゥングスロマン」（Bildungsroman）というのですが、主人公がさまざまな体験を通して人格的に成長していく過程を描いた小説で、自己形成小説とか、成長小説と呼ばれています。この言葉はドイツ語ですが、教養という意味があります。

教養は自分を耕すことです。単なる知識ではなくて、自分の血や肉になるようなものが教養といえます。自己形成と教養が一致した言葉です。この『ジャン・クリフトフ』を読んでいる時間が豊かに感じられ、長編小説の面白さに目覚めますと、その読んでいる2カ月間、有意義に過ごせます。自分の現実がパッとしないものであっても、そのロマン・ロランワールドの面白さは奪われないのです。

崖を登り切った喜びは深い

今の若者はYouTubeを見る楽しみはあるでしょうが、それでは崖をよじ登る喜びはありません。どういうことか。ロマン・ロランもそうですが、ドストエフスキーの小説を一文、一文読んでいくのは、崖をよじ登るような感覚です。自分で壁をよじ登った人しか、上に立ったときの歓びは分かりません。ですから、読み切った、つまり崖を登り切ったときの歓びは深いのです。この上ないものとなります。

一方、YouTubeの弱点というのは、ラクにいろいろなものが楽しめてしまうこと。ラク過ぎるのは、脳にとってあまりいいことではないと川島隆太先生（東北大学加齢医学研究所教授）は指摘しています。その理由は簡単で、ラクに楽しんでいる間、脳は使わないので、よくならないというのです。

情報化社会になって、脳がラクをすればするほど、脳はサボるようになっていく。その一方で長編小説を読むのは、なかなか大変で、脳はフル回転をします。長編小説を書くのはもっと大変だと思います。トルストイは長編小説『戦争と平和』を書いたとき、すごく疲れたらしいのです。それが、人類に対する最高の贈り物になっていくわけです。

目の前にあるその贈り物をなぜ、若い人は受け取らないのか。不思議です。最近、読書離れと言われていますが、あまりにも、もったいないことだと思います。

【あとがき】

人は歳を取ると気持ちが沈みがちになりますが、学び続けている人は前向きです。何を学ぶかは関係なく、何かを学んでいるという状態であることが大切だと思います。

小さいころに学ぶ訓練をしていた人は、とくに、歳を取っても学びたくなるでしょう。いまの80代・90代にそういう方が多いのは、戦前の教育を受けたために基本的に真面目で、読書も好きだからだと思います。私が『声に出して読みたい日本語』（草思社文庫）を上梓したときも、90代の方がずいぶんたくさん読んでくださいました。それは、とても嬉しいことです。

ある読者の娘さんは、こんな手紙をくれました。「私が一行目を読んであげると、母は、その後ろの部分を暗誦してみせてくれるのです。昨日食べたものも思い出せないことがあるのに、子ども時代に覚えた名文はいえるものなのですね」

その他にも、「楽しかったです」「昔のことを思い出しました」「これから勉強します」などといった感想が多く寄せられ、学ぶことが好きな人はみなさん歳を取っても、明るい気持ちでいらっしゃるのを感じました。最近では、「人生百年」とよくいいますが、80代、

90代でも学ぶことができるのなら、その人の人生は豊かです。そして、学ぶ習慣は、子どもや孫に伝わっていくでしょう。そのように、学ぶ姿勢というものは、文化的な遺伝として受け継がれていくものだと思います。

ですから、「なぜ勉強すべきか」というと、自分が勉強している姿勢が他の人に影響を与えるからという理由も挙げることができます。たとえば、福沢諭吉は『学問のすゝめ』のなかで、次のようなことをいっています。「贅沢してお金をたくさん使ってもいいではないか、それは個人の自由だ、と考えるかも知れないが、そうすることで他の人に対して悪影響を与えるとしたら、それは必ずしも自由とばかり言えない」と。自分のお金なら何したっていいと思うかもしれないけれど、それは他の人に悪影響を与えることもあるということです。勉強も同じことで、たしかに、「本なんか読まなくていい。勉強なんかしなくていい」などという生き方をしている人がいると、次の世代を担う子どもたちに悪影響を与えます。

学ぶ姿勢は、リチャード・ドーキンスがいう「ミーム」（文化的遺伝子）として日本人が大切に受け継いで来たものです。「日本人は勉強好きで、向上心がある」と、幕末や明治初期に日本を訪れた外国人はみんなそういいました。そんな国であったのに、最近の日本人があまり勉強しなくなってしまったとすれば、とても寂しいです。

今書店がどんどんなくなっています。かつては、西田幾多郎の新しい本が発売される日には、書店に行列ができたというエピソードが残っています。食費を切り詰めてでも本を買うという文化がありましたが、今はそうではありません。豊かになり過ぎてしまい、学びたいという当たり前の思いが、湧いてこなくなってしまっているようです。この状況は予断を許しません。学び続け、常に新しいものを取り入れてきたからこそ、日本は発展してきたのです。社会全体としては、相変わらずイノベーションが起こる国だと思いますが、世界の加速度がどんどん増すのに比べ、漫然としていたのでは、いつの間にか頼りない国になってしまいそうです。

私自身、ワクワク感だけでは追いつかない勉強量を要求されることがあります。好きでない教科の勉強を要求されるのはもちろん、学者は論文をある形式に従って書かねばならず、それは楽しいことばかりではなく、いろいろと地味に調べる勉強が必要になります。私は最初、そうした地味な調べものが苦手でしたが、こういう職業なのだと思ってやり続けました。図書館の隅っこで「この地味な20代は何なのだろう」と思いながらも、調べ物をしました。でも今、思い返すと、「日本でこんなことを調べているのも、自分くらいだろうな」などと、しみじみ思いながら書庫で過ごした時間が懐かしいです。

勉強は楽しみでもあり、自分を鍛えるものでもあるということです。

最後に、ニュートンと学びについて。高校時代、原仙作先生の名著『英文標準問題精講』（旺文社）で、ニュートンの「私は真理の大海を眼の前にして、海辺のきれいな貝がらで遊ぶ子どものようだった」という内容の文を読み感動しました。果てしない学びと研究の意欲。ペストの流行を創造的休暇として、万有引力を発見した事実も、新型コロナの状況での学びの意義を教えてくれます。

なお、本書の出版にあたり辰巳出版の湯浅勝也編集長、喝望舎の佐藤克己氏に大変、お世話になりました。

令和2年8月吉日　齋藤　孝

【参考文献】

『ひきこもれ』吉本隆明（だいわ文庫）
『学問のすゝめ』福沢諭吉（岩波文庫）
『福翁自伝』福沢諭吉（岩波文庫）
『世界のピアニスト』吉田秀和（新潮文庫）
『論語』齋藤孝訳（ちくま文庫）
『雨ニモマケズ　宮沢賢治全集』宮沢賢治（ちくま文庫）
『$E=mc^2$——世界一有名な方程式の「伝記」』デイヴィッド・ボダニス（ハヤカワ文庫ＮＦ）
『論語と算盤』渋沢栄一、（守屋淳翻訳、ちくま新書）
『国語のできる子どもを育てる』工藤順一（講談社現代新書）
『論語物語』下村湖人（講談社）
『１Ｑ８４』村上春樹（新潮社）
『シェークスピア物語』チャールズ・ラム、メアリ・ラム共著（岩波少年文庫）
『山月記・李陵 他九篇』中島敦（岩波文庫）
『カラマーゾフの兄弟』フョードル・ドストエフスキー（亀山郁夫訳、光文社古典新訳文庫）
『蜘蛛の糸・杜子春』芥川龍之介（新潮文庫）
『羅生門・鼻』芥川龍之介（新潮文庫）
『ぼくの命は言葉とともにある』福島智（致知出版）
『君の膵臓を食べたい』住野よる（双葉社）
『暗いところで待ち合わせ』乙一（幻冬舎）
『百瀬、こっちを向いて。』中田永一（祥伝社文庫）